La Cuisine Végétarienne

**Anne NOËL,
diététicienne.**

Photos : J.L. Syren / S.A.E.P.

La coordination de cette collection est assurée
par Paulette Fischer.

EDITIONS S.A.E.P.
INGERSHEIM 68000 COLMAR

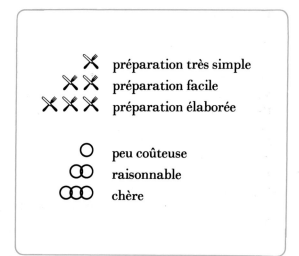

préparation très simple

préparation facile

préparation élaborée

peu coûteuse

raisonnable

chère

PREFACE

Ce livre s'adresse à 3 catégories de lecteurs :

- ceux qui déjà végétariens recherchent de nouvelles idées pour diversifier leurs repas,

- ceux qui, tentés par le végétarisme, que ce soit de façon régulière ou ponctuelle, souhaitent disposer d'un éventail de recettes simples et agréables,

- ou ceux qui tout simplement, désirent varier leur alimentation, réduire leur consommation de viande, étonner leurs amis en servant un pâté végétal ou des galettes de céréales.

L'alimentation de l'homme occidental est essentiellement carnée, ceci depuis 2 à 3 décennies...

Nous mangeons trop de viandes. Presque tous les jours. Parfois même à chaque repas...

La saturation nous guette... Excès de protéines et de graisses animales entraînent ces problèmes de santé que nous avons coutume d'appeler « maladies de civilisation ».

Cet ouvrage vous propose des recettes végétariennes simples, agréables, faciles à mettre en œuvre, vous permettant de mieux préserver votre santé.

Les ingrédients proposés sont pour la plupart plus riches en fibres, en vitamines, en éléments minéraux... permettant de ce fait un meilleur équilibre alimentaire.

Jean Seyller

LES CEREALES

Les céréales gagnent à être la base véritable de notre alimentation.

D'un faible coût, elles peuvent fournir jusqu'à 70 % de l'apport calorique indispensable à notre alimentation. Elles sont riches en protéines, et en vitamines du groupe B.

Une alimentation ne comprenant que des céréales est insuffisamment équilibrée par carence en vitamine C.

Plus les techniques de transformation des céréales sont élaborées, plus elles permettent d'obtenir des produits raffinés. Mais le produit obtenu, après traitement industriel, n'offre pas la même valeur nutritive que le grain entier.

Raffinage des céréales, blutage de la farine, polissage du riz, éliminent une grande partie des vitamines et sels minéraux.

Les céréales se montrent insuffisantes en certains acides aminés indispensables (protéines que l'organisme ne peut pas fabriquer) et doivent être complétées par d'autres aliments apportant protéines et matières grasses :
- légumineuses (légumes secs),
- légumes,   - lait, produits laitiers,
- œufs,   - fruits frais, fruits secs, fruits oléagineux.

Par céréales, on entend les graines de graminées cultivées. En France, nous cultivons 9 céréales :

- le blé,   - le maïs,   - l'avoine,
- l'épeautre,   - l'orge,   - le seigle,
- le riz,   - le millet,   - le sarrasin.

Aliments	Calories	Protéines	Graisses
Blé	345	12,1	2,1
Riz	352	8	1,4
Maïs	354	10,7	4,4
Orge	353	11,5	2
Millet	342	11	4,2
Avoine	353	13	7
Seigle	350	11	1,9
Sarrasin	321	11,7	2,7

Le blé

La céréale la plus cultivée dans le monde, prédominant depuis l'antiquité.

Le blé présente une aptitude exceptionnelle à la panification.

Ces usages sont multiples : pâtes, farines, biscuits, biscottes, boulghour (manière traditionnelle de consommer le blé au Moyen-Orient), blé germé.

A ma connaissance, c'est la seule céréale qui se prête à des préparations aussi variées.

Il existe 2 espèces de blé : le blé tendre et le blé dur (surtout utilisé pour les pâtes alimentaires et les farines).

Boulghour : blé germé, cuit, séché, et concassé.

L'épeautre

C'est une variété de blé, cultivée dans l'antiquité. Il existe en Europe encore quelques producteurs. Sa culture a été pratiquement abandonnée. Actuellement, elle se fait à un stade artisanal.

Sa valeur nutritive est la même que le blé tendre.

Pour être consommé, il doit être décortiqué comme le riz.

Le riz

Le riz est la céréale la moins riche en protéines du point de vue quantitatif mais la plus équilibrée au niveau qualitatif.

Il est particulièrement recommandé pour les sédentaires, les personnes ayant des problèmes digestifs.

Très riche en vitamines B, le riz permet une grande diversité de préparation.

Le maïs

Originaire d'Amérique centrale, il fut importé tardivement en France.

Le maïs est la céréale la moins riche en protéines, mais la seule à renfermer de la vitamine A.

Il s'utilise sous forme d'épis, de grains de maïs éclaté, de farine de maïs, corn flakes.

Ses utilisations sont nombreuses et ses carences seront compensées par une alimentation variée.

L'orge

Probablement une des premières céréales cultivées par l'homme.

Très utilisée pour l'alimentation du bétail.

Nous autres humains l'utilisons dans la préparation de la bière ou d'autres boissons comme l'orgeat, ou encore en potages.

Le millet

Le millet cultivé en France appartient à la même famille que le mil africain.

Ces exigences climatiques : chaleur et humidité.

D'utilisation facile, de bonne digestibilité, son goût est très apprécié.

L'avoine

L'avoine est la céréale la plus riche en protéines et en matières grasses.

Généralement consommée sous forme de flocons pour les soupes et les desserts.

De sa finesse dépend la qualité de son goût.

Le seigle

Le seigle est une céréale panifiable. Elle était l'aliment de base des régions de montagne, car elle résiste au froid et nécessite une terre peu fertile.

Le seigle est surtout utilisé pour la confection de pain et de pain d'épices.

Il donne un pain plus lourd mais très bon au goût.

Le sarrasin

Originaire d'Asie, le sarrasin est traditionnellement considéré comme une céréale, bien que n'étant pas de la même famille.

Il est connu pour son pain, sa farine, ses crêpes et ses galettes.

Mais le sarrasin peut aussi se consommer nature ou grillé.

LEGUMES SECS

Encore appelés légumineuses.

Actuellement leur consommation demeure faible, et c'est dommage, car il s'agit d'un aliment riche en ressources (protéines végétales, Magnésium, Fer).

Leur digestibilité dépend des techniques de cuisson.

Les principales légumineuses :
- haricots secs,
- pois secs,
- fèves,
- lentilles,
- soja.

Depuis l'antiquité, l'homme associe légumes secs et céréales. C'est un complément indispensable à une alimentation équilibrée (céréales + légumes secs = protéines complètes). Les combinaisons sont nombreuses.

Légumes secs	Céréales	Origine
Haricots rouges	maïs	Amérique du Sud
Soja	riz	Asie
Pois chiches	semoule de couscous	Afrique du Nord

Valeurs alimentaires des légumineuses

	Calories	Protéines	Graisses
Haricots secs	341	22	1,5
Lentilles	345	24,2	1,8
Fèves	343	23	1,5
Pois secs	345	22,5	1,5
Soja	335	38	18

Les haricots

On trouve un très grand choix de variétés, du haricot blanc jusqu'au haricot vert, en n'oubliant pas les haricots noirs, les haricots rouges, les jaunes ou les marbrés.

Leurs goûts sont très différents selon les variétés.

Les haricots ont une mauvaise réputation quant à leur digestibilité.

Il faut savoir que parmi les nombreuses variétés, il est possible de trouver des haricots qui ne soient pas de haut rendement, à peaux fines, de bonne digestibilité et de saveurs agréables.

Les lentilles

Tout le monde connaît les lentilles, certains même les ont échangées contre un droit d'aînesse.

En France, seules les lentilles vertes sont cultivées, la variété la plus connue est la lentille du Puy. Il existe d'autres variétés, de couleurs différentes, notamment la lentille corail, la plus petite, dont la cuisson est extrêmement rapide.

Les lentilles bien cuites sont très digestes et ne provoquent pas de flatulences.

L'association lentilles/saucisses peut engendrer des troubles digestifs.

Les fèves

La fève est l'une des plus anciennes légumineuses.

Elle peut être consommée fraîche ou séchée.

Consommée sèche, il convient de la débarrasser de sa peau particulièrement indigeste.

Les pois chiches

Il est devenu le légume du couscous. Pourtant ces utilisations sont nombreuses.

Leur seul inconvénient : une cuisson longue.

Riches en protéines.

Pour assurer une meilleure digestibilité, il est conseillé de les faire tremper la veille. Les égoutter, puis les frotter dans un linge avec du gros sel pour les débarrasser de leurs peaux.

Les pois cassés

Connu surtout pour ses soupes et ses purées, le pois cassé est pratiquement tombé dans l'oubli.

Intéressant pour son assimilation puisqu'il présente l'avantage d'être débarrassé de sa peau contrairement aux pois entiers.

Le soja

Il tient une place tout à fait particulière dans les légumineuses.

Il est très riche en protéines particulièrement équilibrées.

Il existe de nombreuses préparations à base de soja :
- sauces de soja,
- pâtes au soja,
- soja fermenté,
- tofu (caillé de soja),
- grains de soja,
- germes de soja,
- farine de soja...

Cette richesse dans la variété de ses présentations permet une grande diversité de recettes.

L'origine du mot soja (ou soya) est chinoise.

On peut manger du soja de la soupe au dessert, en retrouvant à chaque fois des goûts et des saveurs différents.

Potage aux flocons de millet   ✗ ○

Prép. : 15 mn.   Cuiss. : 15 mn.
4 pers.   105 Cal./pers.

2 petits oignons / 2 tomates / 2 gousses d'ail / 4 cuillerées à soupe de flocons de millet / Persil / 1 bouillon de légumes / 15 g. de margarine au tournesol.

Eplucher et émincer l'oignon. Faire dorer avec la margarine. Ajouter les flocons de millet. Dès qu'ils commencent à griller, mettre les tomates préalablement épluchées. Laisser cuire quelques minutes.

Mouiller avec 1 lit. 1/4 d'eau. Ajouter le bouillon de légumes et les herbes.

Quand le liquide est à ébullition, laisser cuire encore 5 minutes. Juste avant de servir ajouter l'ail pilé.

Potage aux lentilles   ✗ ○

Prép. : 20 mn.   Cuiss. : 45 mn.
6 pers.   170 Cal./pers.

150 g. de lentilles corail / 1 oignon / 1 carotte / 6 tomates / Sel, poivre / 1 lit. 1/2 de bouillon de légumes / Thym / Feuilles de laurier / Persil / 100 g. de gruyère râpé.

Faire cuire les lentilles avec l'oignon émincé, les carottes coupées en rondelles. Ajouter 2 feuilles de laurier, 1 branche de thym et du persil, laisser cuire 20 à 30 minutes environ. A ce moment ajouter les tomates pelées et épépinées. Faire mijoter 10 à 15 minutes environ. Saler, poivrer.

Servir dans des bols après y avoir réparti le gruyère.

ou :

Prép. : 20 mn.   Cuiss. : 45 mn.
6 pers.   155 Cal./pers.

Pour varier la recette on peut également ajouter les ingrédients suivants : *1 oignon / 1/4 de céleri / 3 carottes / 3 cuillerées à soupe de crème.*

Couper les légumes en petits dés, les faire cuire avec les lentilles.

Mixer le tout et ajouter la crème. Servir aussitôt.

Soupe aux carottes   ✗   O

Prép. : 20 mn. Cuiss. : 50 mn.
4 pers. 180 Cal./pers.

*5 carottes / 2 oignons / 60 g. de riz demi-complet /
1/4 lit. de lait / 1 bouillon de légumes / Sel / 8 croûtons /
1 gousse d'ail / 20 g. de beurre.*

Dans une cocotte, faire revenir les carottes râpées et
l'oignon émincé, ainsi que le riz. Assaisonner, puis mouiller
avec 1 lit. d'eau. Ajouter le bouillon cube.

Faire cuire environ 40 à 50 minutes.

Couper des croûtons de pain, les frotter à l'ail.

Quand le riz est cuit, ajouter le lait. Retirer du feu au
premier bouillon.

Servir avec les croûtons.

Velouté de potiron   ✗   ∞

Prép. : 20 mn. Cuiss. : 30 mn.
4 pers. 220 Cal./pers.

1 kg. de potiron / 3 pommes de terre / 2 oignons / Sel, poivre / 6 cuillerées à soupe de crème fraîche / 2 jaunes d'œufs / Persil haché.

Faire cuire le potiron nettoyé et coupé en morceaux, les pommes de terre épluchées et les oignons émincés dans 1 lit. d'eau salée pendant 30 minutes.

Passer au mixer. Saler, poivrer.

Dans une jatte, battre les jaunes d'œufs et la crème fraîche. Verser peu à peu le liquide chaud.

Servir de suite en saupoudrant de persil.

Potage à l'oseille   ✗✗   ∞

Prép. : 20 mn. Cuiss. : 30 mn.
4 pers. 150 Cal./pers.

250 g. d'oseille / 2 tomates / 1 oignon / 4 pommes de terre / 20 g. de beurre / Sel, poivre / 1 gousse d'ail.

Nettoyer les feuilles d'oseille et les laver soigneusement.

Garder quelques feuilles pour garnir le potage.

Dans une casserole mettre dorer l'oignon, les feuilles d'oseille et les pommes de terre. Faire revenir 5 minutes. Ajouter les tomates et mouiller avec 1 lit. 1/4 d'eau salée. Laisser cuire pendant 30 minutes environ.

Passer au mixer. Rectifier l'assaisonnement et ajouter l'ail pilé.

Saupoudrer avec quelques feuilles d'oseille hachée.

Crème de légumes au soja

Prép. : 20 mn. Cuiss. : 1 h.
4 pers. 240 Cal./pers.

2 carottes / 1 navet / 1/4 de céleri / 1 poireau / 2 oignons / 1 tomate / 2 pommes de terre / 120 g. de soja vert / Sel, poivre / Persil haché / 2 cuillerées à soupe de crème.

Eplucher et couper les légumes en morceaux. Les faire cuire avec le soja vert dans 1 lit. 1/4 d'eau salée. Laisser cuire à l'autocuiseur pendant 50 à 60 minutes.

Passer le potage au mixer. Rectifier l'assaisonnement si nécessaire.

Avant de servir incorporer la crème et saupoudrer de persil.

Mousse à l'avocat ✕✕ ○

Prép. : 30 mn.
8 pers. 160 Cal./pers.

3 avocats bien mûrs / 1 jus de citron / Sel fin / Persil haché / Aneth haché / 150 g. de fromage blanc / 1 paquet de gelée diluée dans 1 lit. d'eau / Quelques gouttes de tabasco / 3 cuillerées à soupe de crème.
Garniture : *Feuilles de salade / 1 tomate / 8 à 10 olives.*

Couper les avocats en deux. Retirer l'amande.

Récupérer la pulpe. Mixer avec le citron. Ajouter le sel, le tabasco, le persil haché, l'aneth, puis la gelée ; délayer le tout.

Incorporer le fromage blanc et la crème battue en chantilly.

Verser la préparation dans un moule. Laisser prendre quelques heures au frais.

Décorer avec des feuilles de salade, des dés de tomate et des olives noires.

Fonds d'artichauts à la crème ✕✕ ∞

Prép. et cuiss. : 15 mn.
4 pers. 155 Cal./pers.

8 petits fonds d'artichauts surgelés / 1/10ᵉ lit. de crème fraîche / 1 cuillerée à soupe de moutarde / Sel, poivre / Persil.

Faire cuire les fonds d'artichauts surgelés dans de l'eau bouillante salée pendant 10 à 15 minutes. Laisser refroidir.

Dans un bol mettre la moutarde et ajouter peu à peu la crème fraîche (procéder comme une mayonnaise). Saler et poivrer. La sauce est bonne quand elle est émulsionnée. Avant de servir ajouter le persil haché.

Fonds d'artichauts farcis

✗✗   ∞

Prép. : 20 mn. Cuiss. : 15 mn.
4 pers. 140 Cal./pers.

8 petits fonds d'artichauts surgelés / 100 g. de chèvre frais / Sel, poivre / Ciboulette / 1 pomme acide / Paprika doux / Un peu de jus de citron.

Faire cuire les fonds d'artichauts à l'eau bouillante salée.

Préparer la farce en râpant la pomme préalablement pelée et la citronner. Mélanger au chèvre frais. Assaisonner.

A l'aide d'une cuillère à café, déposer un peu de farce sur chaque fond d'artichaut.

Saupoudrer le dessus alternativement avec le paprika doux ou la ciboulette hachée et servir frais.

15

Salade de choucroute aux pommes

✕ ○

Prép. : 15 mn.
4 pers. 115 Cal./pers.

200 g. de choucroute / 1 pomme acide / 1 citron.
Vinaigrette : 1 échalote / Graines de carvi / 1 cuillerée à soupe de vinaigre / 2 cuillerées à soupe d'huile / 1 cuillerée à café de tamari / Sel.

Bien laver la choucroute à l'eau tiède. Mettre dans un saladier la choucroute égouttée et la pomme râpée et citronnée.

Dans un bol, préparer la vinaigrette. Saler selon le goût et mélanger les ingrédients. Verser sur la salade et remuer.

Préparée 15 minutes à l'avance et servie fraîche, cette salade est encore meilleure.

Chou blanc aux pignons de pin

✕ ○

Prép. : 25 mn. Cuiss. : 8 mn.
6 pers. 145 Cal./pers.

400 g. de chou blanc / 50 g. de raisins secs / 40 g. de pignons de pin / 2 cuillerées à soupe de vinaigre / 4 cuillerées à soupe d'huile / 2 échalotes / 1 cuillerée à café de moutarde / Sel, poivre.

Emincer le chou blanc en lamelles. Bien le laver, puis le faire blanchir quelques minutes à l'eau bouillante.

Pendant ce temps préparer la vinaigrette.

Mélanger le chou tiédi, la vinaigrette, les raisins secs et les pignons.

Servir frais.

Betteraves rouges aux pommes

✕ ○

Prép. : 15 mn.
4 pers. 115 Cal./pers.

300 g. de betteraves rouges crues / 1 pomme acide / Sel, poivre / 1 demi-citron.
Vinaigrette : *1 cuillerée à soupe de vinaigre / 2 cuillerées à soupe d'huile / Persil.*

Peler les betteraves rouges et la pomme, les râper séparément. Citronner la pomme pour éviter l'oxydation.

Préparer la vinaigrette. Arroser la salade.

Mélanger le tout 10 minutes avant de servir. Saupoudrer de persil haché.

Salade d'endives au cresson et au roquefort

Prép. : 30 mn.
6 pers. 85 Cal./pers.

1 botte de cresson / 2 endives / 40 g. de roquefort / 1 œuf dur / Persil haché.
Vinaigrette : *1 cuillerée à soupe de moutarde / 1 cuillerée à soupe de vinaigre / 1 cuillerée à soupe d'huile / 1 yaourt nature.*

Nettoyer et laver le cresson et les endives. Bien enlever le cœur des endives à la base pour éviter l'amertume, puis les couper en tronçons de 2 cm.

Dans un saladier préparer la vinaigrette, puis ajouter le cresson, les endives, le roquefort émietté et l'œuf coupé en rondelles.

Remuer la salade au moment de servir.

Légumes à la grecque

Prép. : 35 mn. Cuiss. : 25 mn.
4 pers. 130 Cal./pers.

12 petits oignons / 60 g. de riz complet / 8 olives noires / 100 g. de champignons de Paris / 2 carottes / Paprika.
Court-bouillon : *1 lit. d'eau / 1 oignon / 2 clous de girofle / 2 feuilles de laurier / Thym / Quelques grains de coriandre / Fenouil / Poivre / Sel marin / Le jus d'un citron / Huile d'olive.*

Mettre les ingrédients du court-bouillon dans 1 lit. d'eau. Ajouter l'huile d'olive. Faire bouillir 15 minutes.

Pendant ce temps éplucher oignons et carottes. Nettoyer les champignons.

Dans le court-bouillon bouillant, jeter les petits oignons blancs, les carottes coupées en bâtonnets, les champignons. Laisser cuire 10 minutes. A ce moment ajouter le riz. Dès que le riz est cuit, arrêter la cuisson.

Laisser refroidir. Avant de servir ajouter le paprika selon le goût.

Servir frais, décorer avec les olives noires.

Salade de mâche aux betteraves rouges

✕ ○

Prép. : 15 mn.
4 pers. 90 Cal./pers.

200 g. de mâche / 150 g. de betteraves rouges cuites.
Vinaigrette : 1 cuillerée à soupe de vinaigre / 2 cuillerées
à soupe d'huile / Sel, poivre / Persil haché.

Bien laver la mâche et l'égoutter. Peler les betteraves rouges et les couper en fines rondelles.

Dans un saladier mettre la mâche et les betteraves rouges. Napper avec la vinaigrette. Remuer la salade juste avant de servir.

Tomates au fromage blanc

Prép. : 20 mn.
4 pers. 105 Cal./pers.

4 tomates / 200 g. de fromage blanc / 2 cuillerées à soupe de crème fraîche / Sel, poivre / Persil / Estragon frais / Ciboulette.
Garniture : *Quelques feuilles de salade / 1 œuf dur.*

Evider les tomates, puis les saler. Laisser dégorger pendant 15 minutes environ.

Dans un saladier, battre le fromage blanc et la crème afin d'obtenir un mélange lisse. Ajouter le sel et le poivre, ainsi que les fines herbes finement hachées, le fromage blanc doit être assez relevé.

Remplir les tomates. Garnir un plat avec quelques feuilles de salade et des rondelles d'œufs. Servir bien frais.

Salade de printemps

Prép. : 20 mn.
8 pers. 120 Cal./pers.

1 petite scarole / 1 poivron jaune / 2 tomates / 2 oignons / 100 g. de fromage de chèvre / Quelques olives / Persil haché / Cerfeuil haché / Sel, poivre.
Vinaigrette : *3 cuillerées à soupe de vinaigre / 4 cuillerées à soupe d'huile / 1 cuillerée à entremets de tamari.*

Nettoyer et laver la salade verte. Couper le poivron en fines lamelles, les tomates en tranches. Emincer les oignons.

Dans un saladier faire une vinaigrette avec l'huile, le vinaigre, le tamari, sel et poivre.

Déposer la salade verte, puis les autres légumes.

Emietter le fromage de chèvre. Ajouter le persil haché, les olives noires et le cerfeuil haché.

Remuer la salade au moment de servir.

Pissenlits aux croûtons   ✗   ○

Prép. : 20 mn. Cuiss. : 10 mn.
4 pers. 115 Cal./pers.

200 g. de pissenlits / 4 tranches de pain / 2 œufs / Sel, poivre / 2 cuillerées à soupe de vinaigre / 4 cuillerées à soupe d'huile / 2 gousses d'ail.

Bien nettoyer le pissenlit, puis l'égoutter.

Faire cuire les œufs durs. Griller le pain et le découper en petits croûtons. Les frotter avec de l'ail.

Dans un saladier mettre le pissenlit, les croûtons de pain, les œufs émiettés. Napper avec la vinaigrette.

Remuer au moment de servir.

Taboulé aux raisins ✗✗ ∞

Prép. : 30 mn.
6 pers.   195 Cal./pers.

150 g. de pilpil de blé / Le jus de 2 à 3 citrons / 1 petit concombre / 4 tomates / 1 poivron vert / Raisins secs / 1 oignon / Menthe fraîche / Persil / Sel, poivre / 3 cuillerées à soupe d'huile d'olive.

Eplucher et épépiner le concombre et les tomates. Les couper en dés. Nettoyer le poivron et le couper en fines lamelles.

Hacher grossièrement l'oignon et les herbes.

Dans un saladier mettre le pilpil et le jus des citrons. Ajouter les légumes, les herbes finement hachées et les raisins secs. Saler et poivrer.

Mélanger et laisser reposer une nuit au réfrigérateur.

Avant de servir, rectifier l'assaisonnement et ajouter l'huile d'olive. Laisser reposer 30 minutes. Servir frais.

Salade de haricots rouges ✗ ○

Prép. : 20 mn.
4 pers.   135 Cal./pers.

120 g. de haricots rouges cuits / 100 g. de champignons de Paris / 150 g. de germes de soja / 1 poivron / 1 tomate coupée en petits cubes / Persil haché / Quelques gouttes de citron.
Vinaigrette : *2 cuillerées à soupe d'huile / 1 cuillerée à soupe de vinaigre / Sel, poivre / 1 cuillerée à café de tamari.*

Nettoyer les germes de soja et les champignons. Couper le poivron et les champignons en lamelles, citronner les champignons.

Mélanger tous les ingrédients dans un saladier avec la vinaigrette. Saupoudrer de persil haché.

Pâte à tartiner aux pois chiches ✕ ○

Prép. : 20 mn. Cuiss. : 1 h 30 mn.
6 pers. 130 Cal./pers.

1 oignon / 2 cuillerées à soupe de beurre de cacahuètes / 2 cuillerées à soupe de sauce de soja / 50 g. de fromage râpé / 60 g. de pois chiches / Bouillon de légumes / 3 tranches de pain sec / Coriandre moulue / Cumin moulu.

Faire cuire les pois chiches et les réduire en purée.

Tremper le pain sec dans le bouillon de légumes. L'écraser en mélangeant avec le beurre de cacahuètes, les oignons hachés, la sauce soja, les épices et le fromage râpé.

Ajouter la purée de pois chiches tiédie. Rectifier l'assaisonnement si nécessaire.

Se sert sur toasts grillés à l'apéritif ou au goûter.

Tarte aux épinards ✕✕ ∞

Prép. : 40 mn. Cuiss. : 40 mn.
8 pers. 285 Cal./pers.

Pâte : *150 g. de farine complète / 75 g. de margarine / Eau / Sel.*
Garniture : *450 g. d'épinards frais / 1/10ᵉ lit. de crème / 5 cuillerées à soupe de lait / 4 œufs / 30 g. de margarine / 30 g. de fromage râpé / 200 g. de fromage blanc / Sel, poivre / Noix de muscade.*

Mélanger la farine et la margarine, incorporer l'eau et le sel jusqu'à obtention d'une pâte ferme. Laisser reposer.

Faire cuire 2 œufs durs, les refroidir, les écaler.

Faire fondre la margarine dans une poêle, ajouter les épinards. Laisser cuire 5 à 6 minutes environ. Retirer du feu et laisser tiédir. Ajouter le fromage blanc, le sel, le poivre, la noix de muscade ainsi que les œufs durs émiettés.

Battre 2 œufs avec la crème et le lait. Assaisonner.

Abaisser la pâte et garnir un moule de 20 cm de diamètre. Piquer le fond avec une fourchette.

Déposer sur la pâte la préparation à base d'épinards, puis les œufs battus.

Saupoudrer de fromage râpé.

Mettre à four chaud, th. 8 ou 9 et laisser cuire 30 à 35 minutes environ.

Tarte à l'oignon

Prép. : 40 mn. Cuiss. : 1 h.
8 pers. 550 Cal./pers.

Pâte : *150 g. de farine complète / 100 g. de margarine / 1 demi-cuillerée à café de sel / 1 œuf.*
Garniture : *500 g. d'oignons / 4 œufs / 1/3 lit. de lait / 1/4 lit. de crème / 150 g. d'emmenthal râpé / Sel, poivre / Ciboulette.*

Dans une jatte, mélanger la farine et le sel. Ajouter la margarine coupée en petits morceaux. Travailler les ingrédients. Verser 1 œuf battu et mélanger pour obtenir une pâte ferme. Si nécessaire ajouter également un peu d'eau tiède. Laisser reposer environ 30 minutes.

Faire cuire les oignons à la vapeur pendant 10 minutes environ.

Abaisser la pâte, puis en garnir un moule de 20 cm de diamètre. Piquer le fond avec une fourchette.

Etaler les oignons sur la tarte. Parsemer de fromage râpé.

Dans une jatte battre les œufs, la crème, le lait, la ciboulette hachée, le sel et le poivre. Verser sur les oignons.

Faire cuire 45 à 50 minutes à four chaud.

Cake au potimarron ✕✕✕ ∞

Prép. : 35 mn. Cuiss. : 45 mn.
8 pers. 220 Cal./pers.

*300 g. de potimarron / 50 g. de farine complète / 100 g.
de gruyère râpé / 10 olives vertes / 60 g. de beurre / 3
œufs / 1/10ᵉ lit. de lait / 2 cuillerées à soupe de crème
fraîche / 100 g. de champignons de Paris / 30 g. de
pignons de pin / Sel, poivre / Noix de muscade / Persil
haché.*

Faire cuire le potimarron à la vapeur, 15 à 20 minutes
environ. Le réduire en purée en mélangeant avec le lait.

Faire suer l'eau de végétation des champignons émincés
dans une poêle.

Battre en mousse les œufs avec le beurre fondu.

Dénoyauter les olives et les couper en rondelles.

Mélanger tous ces ingrédients en ajoutant la crème fraîche
et le gruyère râpé. Assaisonner.

Saupoudrer de pignons de pin.

Mettre dans un moule à cake beurré à four chaud, th. 7 à
8. Cuire pendant 45 minutes environ.

*Ce cake se mange aussi bien chaud, que froid. Accompagné
d'une salade, il sera encore meilleur*

Pain aux champignons ✕✕ ∞

Prép. : 30 mn. Cuiss. : 1 h.
6 pers. 251 Cal./pers.

*500 g. de champignons / 250 g. de crème d'avoine /
50 g. de cacahuètes / 1 oignon / 3 gousses d'ail / 2
cuillerées à soupe de levure diététique / 2 cuillerées à
soupe de germes de blé / Sel, poivre / 1 citron / 3 œufs /
1/5ᵉ lit. de bouillon de légumes.*

Mixer les champignons bien nettoyés. Ajouter le jus d'un
citron pour éviter l'oxydation.

Incorporer à la purée la crème d'avoine, les cacahuètes,
l'oignon haché finement, l'ail écrasé, la levure et les germes
de blé, les œufs battus et le bouillon de légumes. Assaisonner.
Malaxer pour obtenir une pâte consistante.

Faire cuire dans une terrine ou un moule à cake beurré, 1
heure environ.

Crêpes basquaises ✗✗ ∞

Prép. : 30 mn. Cuiss. : 35 mn.
4 pers. 265 Cal./pers.

Pâte à crêpes : *60 g. de farine de sarrasin / 1 pincée de sel / 1 œuf battu / 1/5ᵉ lit. de lait / 1 cuillerée à soupe d'huile.*
Garniture : *1 oignon / 2 cuillerées à soupe d'huile d'olive / 4 tomates / 1 courgette / 1 poivron / 4 gousses d'ail / 2 œufs / Sel, poivre.*

Préparer la pâte à crêpes et la laisser reposer.

Dans une cocotte faire revenir l'oignon émincé avec l'huile d'olive. Ajouter les tomates pelées et coupées en quartiers, la courgette coupée en rondelles et le poivron en lanières. Couvrir et laisser mijoter 15 à 20 minutes.

Entre-temps, dans une jatte, battre les œufs, avec le sel, le poivre et l'ail pilé. Verser votre préparation sur les légumes. Dès que les œufs commencent à prendre, retirer du feu.

Dans une poêle, faire chauffer l'huile et verser un peu de pâte à crêpes, faire dorer des deux côtés.

Faire 8 crêpes, garnir chacune d'une cuillerée de farce et les superposer sur un plat posé sur une casserole d'eau bouillante afin de les maintenir chaudes.

Crêpes aux brocolis et aux amandes ✗✗ ∞

Prép. : 30 mn. Cuiss. : 40 mn.
4 pers. 365 Cal./pers.

Pâte à crêpes : *100 g. de farine complète / 1 pincée de sel / 1 œuf / 1/3 lit. de lait / 1 cuillerée à soupe d'huile.*
Sauce : *2 cuillerées à soupe de farine / 1/4 lit. de lait / Sel, poivre / Muscade / 40 g. de gruyère râpé / 40 g. d'amandes effilées.*
Garniture : *250 g. de brocolis blanchis / 80 g. de parmesan.*

Faire la pâte à crêpes et la laiser reposer 30 minutes.

Faire 8 crêpes, les garnir de brocolis émiettés blanchis et de parmesan. Les rouler, les poser dans un plat à gratin et napper avec la sauce blanche.

Saupoudrer de gruyère et d'amandes effilées. Laisser gratiner 10 minutes.

Omelette paysanne ✕✕ ○

Prép. : 15 mn. Cuiss. : 30 mn.
4 pers. 335 Cal./pers.

*2 gros oignons doux / 5 œufs / 4 pommes de terre /
1/10ᵉ lit. de lait / Sel, poivre / 2 gousses d'ail / 3
cuillerées à soupe d'huile / Ciboulette hachée.*

Faire cuire les pommes de terre non épluchées à la vapeur
pendant 20 minutes.

Dans une jatte battre les œufs avec le lait. Assaisonner,
ajouter l'ail écrasé et la ciboulette hachée.

Faire chauffer l'huile dans une grande poêle et mettre à
dorer l'oignon émincé. Ajouter les pommes de terre pelées et
coupées en rondelles, puis les œufs.

Faire cuire sur feu doux jusqu'à ce que l'omelette soit
prise.

Servir sur un plat préalablement chauffé.

Oeufs pochés à la Mexicaine ✕✕ ∞

Prép. : 20 mn. Cuiss. : 30 mn.
4 pers. 370 Cal./pers.

*4 œufs / 120 g. de riz complet cru / 1 poivron rouge / 1
poivron vert / 1 oignon / 1 petite boîte de maïs doux / 6
tomates / Sel, poivre / Persil haché / 3 cuillerées à soupe
d'huile d'olive.*

Faire cuire le riz à l'eau bouillante salée pendant 25 à 30
minutes environ, l'égoutter et le tenir au chaud.

Dans une poêle, faire dorer l'oignon émincé et le poivron
coupé en lamelles. Ajouter les tomates en quartiers. Couvrir
et laisser mijoter 15 minutes.

Ajouter les grains de maïs et cuire encore 5 minutes.

Faire chauffer de l'eau légèrement vinaigrée et y faire
pocher les œufs, les égoutter sur un linge propre.

Mélanger le riz et les légumes. Servir dans un plat, en
posant les œufs pochés. Saupoudrer de persil haché.

Crêpes aux légumes ✕✕ ∞

Prép. : 25 mn. Cuiss. : 35 mn.
4 pers. 340 Cal./pers.

4 œufs / 4 tomates / 2 poivrons verts / 80 g. de farine complète / 2 oignons / 40 g. de margarine / Basilic / Sel, poivre / 1/4 lit. de lait / 60 g. de parmesan râpé.

Faire revenir les oignons émincés et les tomates pelées et coupées en tranches. Laisser suer les légumes quelques minutes. Ajouter les poivrons coupés en lamelles et assaisonner. Couvrir et laisser mijoter 20 minutes environ.

Battre les œufs en omelette dans une jatte. Incorporer la farine, puis le lait. Mélanger de façon à obtenir une pâte homogène ; la partager en quatre et faire cuire à la poêle.

Après cuisson, ajouter les légumes et saupoudrer de parmesan râpé.

31

Croque-œufs au curry

✗✗ ◯

Prép. : 20 mn. Cuiss. : 25 mn.
4 pers. 310 Cal./pers.

4 œufs / 4 tranches de pain grillées / 2 cuillerées à soupe de farine complète / 1 cuillerée à café de curry / 1/4 lit. de lait / 1 gousse d'ail / 2 cuillerées à soupe de crème / 80 g. de cantal / Sel, poivre / Persil / Cerfeuil / 15 g. de margarine.

Faire cuire les œufs 10 minutes à l'eau bouillante. Laisser refroidir, puis les écaler.

Pendant ce temps, mélanger à froid la farine complète et le lait. Mettre à cuire. Retirer du feu dès les premiers bouillons. Ajouter la crème, le sel, le poivre, le curry et le cantal râpé.

Dans un plat à gratin beurré, mettre les tranches de pain grillé et largement ailé. Déposer les œufs coupés en deux dans le sens de la longueur. Napper avec la sauce au curry. Faire gratiner 10 minutes.

Avant de servir, saupoudrer de persil et cerfeuil hachés.

Gratin d'œufs et de champignons

✗✗ ⚭

Prép. : 15 mn. Cuiss. : 15 mn.
4 pers. 315 Cal./pers.

4 œufs / 200 g. de champignons de Paris / 100 g. de fromage blanc / 2 cuillerées à soupe de crème / 40 g. de cacahuètes non salées / Sel, poivre / Noix de muscade / 30 g. de gruyère râpé / 40 g. de margarine.

Faire sauter les champignons lavés et émincés avec un peu de margarine.

Dans une jatte, battre les œufs en omelette, puis incorporer le fromage blanc et la crème. Assaisonner.

Beurrer un plat à gratin. Y verser la préparation. Saupoudrer de cacahuètes hachées et de gruyère râpé.

Faire cuire 15 à 20 minutes à four chaud.

Oeufs aux épinards en branches

✗ ○

Prép. : 20 mn. Cuiss. : 25 mn.
4 pers. 325 Cal./pers.

600 g. d'épinards frais / 8 œufs / 3 tomates / 2 oignons / Sel, poivre / Paprika / Persil haché / 10 g. de margarine. Sauce : 1/4 lit. de lait / 2 cuillerées à soupe de crème / Sel, poivre / 3 cuillerées à soupe de farine complète / Le jus d'un demi-citron.

Bien laver les feuilles d'épinards et les mettre dans une casserole. Couvrir avec de l'eau froide. Porter à ébullition et laisser frémir 10 minutes environ.

Faire cuire les œufs 5 à 6 minutes à l'eau bouillante. Ils ne doivent pas durcir. Laisser refroidir et écaler les œufs.

Préparer une sauce blanche en délayant la farine avec le lait froid. Faire cuire. Assaisonner et ajouter le jus de citron.

Dans un plat allant au four, déposer les épinards légèrement hachés mélangés avec la moitié de la sauce blanche. Ajouter les œufs. Napper avec le reste de sauce. Décorer avec de fines rondelles de tomates et d'oignons. Saupoudrer de paprika.

Faire cuire à four chaud pendant 15 minutes. Avant de servir ajouter le persil haché.

Soufflé aux épinards

✗✗ ∞

Prép. : 25 mn. Cuiss. : 45 mn.
4 pers. 340 Cal./pers.

600 g. d'épinards hachés congelés / 4 œufs / 4 échalotes / 30 g. de margarine au tournesol / 25 g. de farine complète / 1/10e lit. de crème / 60 g. de parmesan ou gruyère râpé / Sel, poivre / Muscade.

Peler et hacher finement les échalotes, les faire dorer. Ajouter les épinards. Laisser cuire 20 minutes environ.

Pendant ce temps, dans une jatte, battre les jaunes d'œufs, verser peu à peu la farine, puis la crème et le parmesan.

Mélanger avec les épinards tiédis. Saler et poivrer selon le goût et ajouter une pointe de muscade. Battre les blancs d'œufs en neige ferme et les incorporer au mélange.

Verser la préparation dans un plat à gratin graissé.

Faire cuire 20 à 30 minutes au four th. 8. Servir.

Soufflé hollandais   ✗✗   ∞

Prép. : 30 mn. Cuiss. : 30 mn.
4 pers. 313 Cal./pers.

6 œufs / 30 g. de farine complète / 1/4 lit. de lait / 2 cuillerées à soupe de crème / 120 g. de mimolette / Sel, poivre / Graines de sésame / 15 g. de margarine.

Dans un plat, séparer le blanc des jaunes d'œufs.

Mélanger à froid le lait et la farine, puis faire cuire. Laisser tiédir et incorporer au mélange un à un les jaunes d'œufs, puis la crème et la mimolette râpée. Assaisonner.

Battre les blancs d'œufs en neige ferme, les incorporer délicatement.

Verser dans un plat à gratin beurré. Saupoudrer de graines de sésame.

Mettre au four th. 7, cuire 30 minutes environ. Servir aussitôt.

Aubergines à l'Italienne

✕✕ ∞

Prép. : 35 mn. Cuiss. : 40 mn.
6 pers. 275 Cal./pers.

800 g. d'aubergines / 20 g. de margarine / 1 oignon / 2 cuillerées à soupe de farine complète / 1 grande boîte de tomates pelées / Sel, poivre / 2 gousses d'ail / Thym / Origan / 2 cuillerées à soupe de farine / 2 œufs / 20 cl. d'huile d'olive / 60 g. de parmesan râpé.

Laver et bien sécher les aubergines. Les couper en rondelles d'environ 1 cm d'épaisseur.

Saupoudrer de sel et laisser dégorger 15 minutes environ.

Faire dorer l'oignon émincé dans la margarine et saupoudrer de farine. Laisser cuire quelques minutes en remuant, mouiller avec les tomates et laisser mijoter 15 minutes. Assaisonner et incorporer l'ail pilé et les herbes.

Essuyer les rondelles d'aubergines. Les passer dans la farine puis l'œuf battu, les faire dorer avec l'huile d'olive. Les égoutter sur un papier absorbant.

Dans un plat à gratin déposer une couche d'aubergines, saupoudrer de parmesan et napper de sauce tomate, couvrir d'aubergines. Napper avec le reste de sauce.

Faire cuire 40 minutes à four moyen, th. 6 ou 180°.

Gâteau de carottes aux pignons

✕✕ ∞

Prép. : 25 mn. Cuiss. : 45 mn.
6 pers. 85 Cal./pers.

800 g. de carottes / 2 oignons / 3 gousses d'ail / 2 œufs / 1 cuillerée à soupe de crème de maïs / 1/10ᵉ lit. de lait / 25 g. de margarine / Sel, poivre / Persil et cerfeuil hachés / 30 g. de pignons de pin.

Faire cuire les carottes à la vapeur. Emincer l'oignon et le faire dorer à la poêle avec un peu de margarine.

Réduire les carottes en purée. Saler et poivrer. Faire épaissir le lait avec la crème de maïs. Mélanger à la purée et laisser le mélange tiédir ; ajouter les œufs préalablement battus, l'ail pilé et les fines herbes.

Beurrer un moule à cake. Alterner la purée de carottes avec les oignons. Faire cuire au bain-marie au four, th. 7 à 8, pendant 30 minutes.

Démouler et garnir avec les pignons de pin grillés.

Céleri à l'Italienne   ✗   ∞

Prép. : 25 mn.   Cuiss. : 35 mn.
4 pers.   225 Cal./pers.

1 céleri-rave / 100 g. de riz complet / 12 cerneaux de noix / 6 tomates / 60 g. de fromage râpé / Sel, poivre / Quelques gouttes de citron.

Eplucher le céleri, le couper en morceaux et le faire cuire à l'eau salée et légèrement citronnée.

Faire cuire le riz à l'eau bouillante salée.

Préparer un coulis de tomates.

Beurrer un plat à gratin. Y mettre le riz égoutté, le céleri en couches alternées. Napper avec la sauce tomate. Poser les cerneaux de noix et saupoudrer de fromage râpé.

Mettre à gratiner à four chaud 10 minutes environ.

Champignons farcis   ✗✗   ∞

Prép. : 35 mn.   Cuiss. : 25 mn.
4 pers.   195 Cal./pers.

16 gros champignons de Paris / 6 échalotes / 5 cuillerées à soupe de pain émietté / 1 demi-verre de lait / 4 gousses d'ail / 1/4 lit. de bouillon / 20 g. de gruyère râpé / 1 citron / 2 cuillerées à soupe d'huile / Sel, poivre / 10 g. de margarine.

Eplucher et laver les champignons. Couper la queue des champignons. Citronner le tout pour éviter l'oxydation.

Faire blanchir à l'eau bouillante les têtes pendant 15 minutes environ.

Peler et émincer les échalotes. Hacher les queues de champignons. Piler l'ail. Faire dorer le tout dans la poêle. Tremper le pain émietté dans le lait tiède. Dès qu'il aura absorbé le liquide le mélanger à la farce.

Ranger les têtes de champignons dans un plat beurré allant au four. Farcir avec le mélange.

Mouiller si nécessaire avec un peu de bouillon.

Saupoudrer de gruyère râpé. Cuire à four chaud, th. 8, pendant 10 minutes environ.

Chou-fleur hongrois ✗ ∞

Prép. : 25 mn. Cuiss. : 30 mn.
4 pers. 240 Cal./pers.

1 chou-fleur / 150 g. de champignons de Paris / 40 g. de margarine / Sel, poivre / Paprika / 10 cl. de crème fraîche / 40 g. de gruyère râpé / 1 oignon / Persil haché / Aneth / Vinaigre.

Laver le chou-fleur à l'eau vinaigrée. Faire cuire les bouquets environ 15 minutes à l'eau bouillante salée.

Peler et nettoyer les champignons. Les hacher.

Faire revenir l'oignon pelé, émincé et les champignons dans la margarine. Assaisonner.

Dans un plat allant au four, poser les bouquets de chou-fleur et napper avec le mélange bien doré additionné de crème fraîche.

Saupoudrer de gruyère râpé.

Passer à four chaud, th. 8 ou 240°, pendant 15 minutes. Garnir de persil haché et d'aneth.

Choux-raves à la Béchamel ✗ ∞

Prép. : 20 mn. Cuiss. : 35 mn.
4 pers. 245 Cal./pers.

6 jeunes choux-raves / 1/4 lit. de lait / 3 cuillerées à soupe de farine complète / 4 cuillerées à soupe de crème / 60 g. de fromage râpé / Sel, poivre / 10 g. de margarine.

Peler et couper les choux-raves en rondelles. Les faire cuire à la vapeur pendant 20 minutes environ.

Délayer à froid la farine et le lait. Faire cuire. Dès les premiers bouillons retirer du feu. Ajouter la crème et l'assaisonnement.

Beurrer un plat à gratin. Déposer les choux-raves. Napper avec la sauce et saupoudrer de fromage râpé. Laisser gratiner 10 à 15 minutes.

Gratin de citrouille ✗✗ ∞

Prép. : 20 mn. Cuiss. : 20 mn.
4 pers. 280 Cal./pers.

1 kg. de citrouille / 3 cuillerées à soupe de flocons de millet / 1/10ᵉ lit. de crème / 2 œufs / Sel, poivre / 1 poignée de noisettes et d'amandes hachées / 10 g. de margarine.

Faire cuire à l'eau salée les morceaux de citrouille. Les égoutter, les réduire en purée.

Ajouter les œufs battus, les flocons de millet et assaisonner.

Mettre dans un plat à gratin préalablement beurré. Saupoudrer de noisettes et d'amandes hachées.

Passer au four th. 8 pendant 15 à 20 minutes.

Crosnes aux graines de sésame ✕✕ ∞

Prép. : 15 mn. Cuiss. : 20 mn.
4 pers. 175 Cal./pers.

600 g. de crosnes / 40 g. de beurre / 1 gousse d'ail / Sel, poivre / 2 tomates / 2 cuillerées à soupe de graines de sésame / Persil haché / Gros sel.

Dans un torchon propre frotter les crosnes avec le gros sel afin de les débarrasser de leur peau sèche. Les laver et les blanchir à l'eau bouillante légèrement salée pendant 10 minutes environ. Les égoutter.

Dans une poêle faire fondre les tomates avec l'ail pilé. Saler et poivrer. Faire sauter les crosnes bien égouttés. Couvrir et laisser mijoter 5 minutes.

Saupoudrer de persil haché et de graines de sésame.

Fenouil aux amandes ✕✕ ∞

Prép. : 20 mn. Cuiss. : 40 mn.
4 pers. 150 Cal./pers.

4 fenouils / 40 g. de gruyère râpé / 20 g. d'amandes effilées / 20 g. de margarine / 1/4 lit. de bouillon / Aneth / 1 cuillerée à soupe de farine complète / Sel.

Nettoyer et laver les fenouils. Les couper en quatre. Les faire cuire dans une casserole avec le bouillon de légumes et du sel pendant 10 à 15 minutes. Sortir les fenouils.

Beurrer un plat allant au four et lier le bouillon de légumes avec la farine. Déposer les fenouils dans le plat à gratin, napper de la sauce. Saupoudrer de gruyère râpé et d'amandes effilées.

Faire cuire 15 minutes à four chaud, th. 8 ou 240°.

Juste avant de servir, ajouter l'aneth haché.

Laitues braisées au boulghour

✗ ∞

Prép. : 20 mn. Cuiss. : 40 mn.
2 pers. 290 Cal./pers.

*50 g. de boulghour / 4 laitues / 1 carotte / 1 oignon /
1/2 lit. de bouillon de légumes / 30 g. de margarine.*

Bien laver les laitues. Les blanchir quelques minutes à l'eau
bouillante salée. Laisser égoutter.

Dans une cocotte, faire revenir l'oignon émincé et le
boulghour, mouiller avec le bouillon de légumes ; poser les
laitues et la carotte coupée en rondelles.

Laisser cuire 30 minutes environ.

Oignons au sésame

X ∞

Prép. : 15 mn. Cuiss. : 25 mn.
4 pers. 85 Cal./pers.

4 oignons doux / Thym / Sel, poivre / 10 g. de graines de sésame (1 poignée) / 15 g. de margarine au tournesol.

Eplucher les oignons sous l'eau. Les fendre en quatre à partir de la tête.

Couper 4 morceaux de papier aluminium que l'on enduira au pinceau avec un peu de margarine fondue. Y déposer les oignons et saupoudrer avec le poivre, le thym et le sel.

Fermer la papillote. Mettre au four.

Laisser cuire 20 minutes environ. Ouvrir la papillote, saupoudrer de graines de sésame et laisser griller environ 5 à 10 minutes.

Patissons à la crème et aux noix de cajou

XX ∞

Prép. : 15 mn. Cuiss. : 25 mn.
4 pers. 205 Cal./pers.

2 patissons / 2 gousses d'ail / 1 oignon / Persil haché / Sel, poivre / 40 g. de margarine / 40 g. de noix de cajou hachée.

Bien laver et sécher le patisson, le couper en tranches sans le peler.

Dans une poêle, faire revenir l'oignon émincé et y ajouter les tranches de patisson. Saler et poivrer. Faire cuire pendant 15 minutes environ.

Mettre le tout dans un plat à gratin. Napper avec la crème et saupoudrer de noix de cajou.

Faire dorer environ 10 minutes à four chaud.

Tomates à la Genevoise ✗ ∞

Prép. : 15 mn. Cuiss. : 20 mn.
4 pers. 185 Cal./pers.

4 grosses tomates / 2 œufs / 3 cuillerées à soupe de flocons de millet / 1 demi-verre de lait / 60 g. de gruyère râpé / 20 g. de beurre / Muscade / Sel, poivre / 1 cuillerée à café de tamari / Persil haché / 4 gousses d'ail.

Laver les tomates. Couper un chapeau et creuser les tomates à l'aide d'une cuillère à café. Réserver cette pulpe.

Saler légèrement l'intérieur des tomates et les égoutter.

Dans une jatte, battre les œufs, le sel, le poivre, le tamari et la muscade. Incorporer au mélange les flocons de millet, le gruyère râpé, l'ail pilé et le persil haché.

Remplir les tomates de ce mélange. Mettre dans un plat à gratin préalablement beurré. Mixer la pulpe des tomates et la mettre au fond du plat.

Faire cuire à four chaud, th. 8, 20 minutes environ.

Ratatouille au millet   ✗   O

Prép. : 20 mn. Cuiss. : 25 mn.
4 pers. 265 Cal./pers.

120 g. de millet / 500 g. de tomates / 2 oignons / 1 poivron / 1 courgette / 1 aubergine / 3 cuillerées à soupe d'huile d'olive / Sel, poivre / 6 gousses d'ail / Thym / Sarriette / Laurier.

Faire dorer les oignons coupés en fines lamelles. Ajouter les tomates pelées et coupées en quartiers, le poivron coupé en lamelles et la courgette et l'aubergine coupées en fines tranches. Saler et poivrer.

Ajouter les herbes et les gousses d'ail écrasées. Verser en pluie les graines de millet. Couvrir et laisser mijoter environ 20 minutes.

Ragoût de légumes au tofu   ✗✗   ∞

Prép. : 25 mn. Cuiss. : 50 mn.
6 pers. 145 Cal./pers.

250 g. de tofu / 100 g. de haricots verts / 4 fonds d'artichauts / 150 g. de champignons de Paris / 1 poivron / 1 courgette / 2 cœurs de céleri / 8 gousses d'ail / 2 oignons / 1 verre de vin blanc / 1 verre de bouillon de légumes / 2 cuillerées à soupe d'huile.

Nettoyer et laver les légumes. Les couper en morceaux.

Mettre les légumes dans un plat allant au four. Ajouter l'ail pilé, le sel, le poivre. Verser le vin blanc et le bouillon.

Laisser cuire 40 à 50 minutes à four chaud (th. 8). Arroser de temps en temps avec le liquide de cuisson.

Dans une poêle faire revenir le tofu coupé en petits carrés. Dès que les cubes se colorent, retirer.

Au moment de servir, disposer les carrés de tofu sur le plat de légumes.

Flageolets au paprika ✕ ○

Prép. : 20 mn. Cuiss. : 1 h 10 mn.
4 pers. 271 Cal./pers.

*220 g. de flageolets / 1 oignon / 2 gousses d'ail / 4
tomates / 2 cuillerées à soupe d'huile / 2 cuillerées à café
de paprika / 1 pincée de piment de Cayenne / Sel, poivre / Persil haché.*

Faire tremper les haricots la veille. Jeter l'eau de trempage.

Faire cuire à l'eau bouillante pendant 50 à 60 minutes.
Egoutter les flageolets.

Dans une casserole, faire dorer l'oignon émincé et les
tomates pelées et coupées en quartiers. Ajouter l'ail pilé, puis
les flageolets, le paprika, le sel et le piment. Mouiller avec un
peu d'eau. Couvrir et laisser mijoter 10 à 15 minutes.

Au moment de servir, saupoudrer de persil haché.

Haricots à la crème ✕ ○
et aux herbes

Prép. : 5 mn. Cuiss. : 1 h 30 mn.
4 pers. 330 Cal./pers.

*250 g. de haricots blancs / 1 oignon / 2 gousses d'ail / 2
carottes / Sel, poivre / Origan / Thym / Basilic / 4
cuillerées à soupe de crème / 1 cuillerée à soupe d'huile /
Persil haché.*

Faire tremper les haricots la veille. Les égoutter et les
mettre dans une grande casserole. Couvrir d'eau et laisser
cuire environ 1 heure 30 minutes.

Pendant ce temps, faire revenir l'oignon pelé émincé avec
les carottes pelées, râpées et l'ail écrasé. Laisser mijoter 10
minutes environ. A ce moment ajouter les herbes et la crème
fraîche. Retirer du feu.

Quand les haricots sont cuits, mélanger les deux
préparations. Saler, poivrer.

Avant de servir, ajouter le persil haché.

Haricots à la menthe ✗ ○

Prép. : 20 mn. Cuiss. : 2 h.
4 pers. 190 Cal./pers.

*200 g. de flageolets / 1 oignon piqué de clou de girofle / 1
feuille de laurier / Thym / Sel / Feuilles de menthe.*

Faire tremper les haricots la veille, les égoutter. Les
couvrir à nouveau d'eau et porter à ébullition.

A ce moment ajouter l'oignon et la feuille de laurier.
Laisser cuire 1 heure 30 minutes à 2 heures. Une demi-heure
avant la fin, ajouter les feuilles de menthe, le sel et le thym.

Servir, en saupoudrant de menthe hachée.

Ragoût de haricots ✗ ○

Prép. : 25 mn. Cuiss. : 55 mn.
6 pers. 270 Cal./pers.

250 g. de haricots rouges Azukis / 4 cuillerées à soupe d'huile / 2 oignons / 6 gousses d'ail / 1 poivron rouge / 1 poivron vert / 6 tomates / Thym / Marjolaine / 12 olives / Persil haché / Basilic haché / Sel, poivre.

Faire tremper les Azukis quelques heures dans de l'eau froide. Les égoutter.

Mettre les haricots dans une casserole et les couvrir d'eau. Porter à ébullition, couvrir et laisser cuire 40 à 50 minutes environ. Saler en fin de cuisson.

Dans une poêle, faire revenir l'oignon émincé, l'ail écrasé, les poivrons coupés en lanières et les tomates pelées et coupées en quartiers. Ajouter les herbes, saler et poivrer.

Laisser mijoter 30 minutes environ. 5 minutes avant la fin de la cuisson, ajouter le persil haché, le basilic et les olives.

Sur un plat déposer les haricots rouges et napper avec la sauce.

Curry de haricots rouges ✗ ∞

Prép. : 25 mn. Cuiss. : 1 h 30 mn.
4 pers. 266 Cal./pers.

200 g. de haricots rouges / 1 oignon / 3 gousses d'ail / 6 tomates / Gingembre / Poivre de Cayenne / 2 cuillerées à soupe d'huile / Sel.

Tremper les haricots la veille dans de l'eau froide. Les égoutter.

Cuire les haricots rouges dans une cocotte, recouverts d'eau froide. Couvrir et laisser frémir 1 heure 30 minutes environ.

Entre-temps, faire revenir dans une poêle l'oignon émincé, l'ail pilé, les tomates pelées et coupées en quartiers, le gingembre râpé et une bonne pincée de poivre de Cayenne. Laisser mijoter 30 minutes environ. Ajouter la sauce piquante aux haricots rouges.

Servir avec du riz nature.

Gratin de lentilles ✗ ∞

Prép. : 15 mn. Cuiss. : 1 h.
4 pers. 395 Cal./pers.

200 g. de lentilles corail / 2 œufs / 1 cuillerée à soupe de graines de sésame / 1 oignon / 2 gousses d'ail / 150 g. de gruyère râpé / Persil haché / Sel, poivre / 3 cuillerées à soupe de flocons d'avoine / 1 cuillerée à soupe d'huile.

Dans une cocotte faire revenir l'oignon émincé. Dès que l'oignon est doré, ajouter les lentilles, les gousses d'ail écrasées, le sel, le poivre.

Mouiller jusqu'à couvrir les lentilles d'eau. Porter à ébullition, puis laisser mijoter 20 minutes environ.

Laisser tiédir. Ajouter les œufs battus, les 2/3 du gruyère râpé, les flocons d'avoine et le persil. Mélanger.

Verser dans un plat à gratin légèrement beurré. Saupoudrer de graines de sésame et du reste de fromage râpé.

Faire cuire à four chaud, th. 6 (180°), pendant 40 minutes environ.

Ce plat se mange chaud ou tiède. Accompagner d'une sauce tomate ou d'une salade verte.

Lentilles aux carottes ✗ ○

Prép. : 15 mn. Cuiss. : 50 mn.
4 pers. 261 Cal./pers.

2 oignons / 2 carottes / Thym / Sel / 150 g. de lentilles / 4 tomates / Persil / 2 cuillerées à soupe d'huile / 1/2 lit. de bouillon de légumes.

Laver les lentilles.

Dans une casserole, faire revenir à l'huile l'oignon émincé et les carottes râpées. Ajouter les lentilles, les tomates pelées et coupées en quartiers, le sel, les herbes et le bouillon de légumes. Couvrir et laisser mijoter 50 minutes environ à l'autocuiseur.

Saupoudrer de persil haché avant de servir.

Pâté de lentilles   ✕   ○

Prép. : 30 mn. Cuiss. : 1 h 50 mn.
6 pers. 190 Cal./pers.

*350 g. de lentilles / 150 g. de champignons de Paris /
20 g. de margarine / 5 œufs / 1 oignon / Sel, poivre /
Persil haché / 3 cuillerées à soupe de sauce de soja.*

Faire revenir l'oignon émincé. Ajouter les lentilles et l'eau.
Porter à ébullition. Couvrir et laisser mijoter 1 heure. Saler.
Remuer de temps en temps. Laisser tiédir.

Eplucher et émincer les champignons, les faire suer avec de
la margarine.

Ajouter aux lentilles les œufs battus, le sel, la sauce de soja
et le persil haché, mélanger afin d'obtenir une pâte ;
incorporer les champignons et verser dans un moule graissé.

Faire cuire 50 minutes, th. 6, dans un bain-marie.

Servir en tranches, accompagnées d'un coulis de tomates.

Pois chiches aux légumes

✕   O

Prép. : 30 mn. Cuiss. : 1 h 45 mn.
4 pers. 305 Cal./pers.

170 g. de pois chiches / 1 oignon / 2 carottes / 1/4 de céleri / 1 courgette / 2 cœurs d'artichauts / 1/4 lit. de bouillon de légumes / Sel, poivre / 2 gousses d'ail / Persil et cerfeuil hachés / 3 cuillerées à soupe d'huile.

Faire tremper la veille les pois chiches. Jeter l'eau de trempage.

Mettre les pois chiches dans l'autocuiseur, en les couvrant d'eau. Laisser mijoter 1 heure 30 minutes environ.

Peler et laver les légumes.

Dans une poêle, faire revenir l'oignon émincé, les carottes coupées en bâtonnets, le céleri en cubes, la courgette en rondelles, les cœurs d'artichauts coupés en fines tranches ainsi que le bouillon de légumes. Laisser mijoter 30 à 35 minutes environ. Saler et poivrer. Ajouter l'ail pilé.

Quand les pois chiches sont cuits, les saler et les mélanger aux légumes. Laisser cuire 10 minutes environ.

Avant de servir saupoudrer de persil et de cerfeuil hachés.

Purée de pois cassés

✕   O

Prép. : 15 mn. Cuiss. : 45 mn.
4 pers. 310 Cal./pers.

300 g. de pois cassés / 3 échalotes / 1 cuillerée à soupe d'huile / 3 cuillerées à soupe de graines de sésame / Sel, poivre.

Faire tremper les pois dans de l'eau froide 1 à 2 heures avant l'utilisation. Jeter l'eau de trempage.

Mettre cuire les pois à l'eau froide dans un autocuiseur pendant 45 minutes.

Entre-temps, faire blondir les échalotes et les graines de sésame.

Réduire les pois en purée. Mélanger aux échalotes et au sésame. Saler et poivrer.

Galettes de pois chiches au sésame ✗✗ ○

Prép. : 30 mn. Cuiss. : 1 h 45 mn.
6 pers. 320 Cal./pers.

250 g. de pois chiches / 3 gousses d'ail / 2 échalotes / 2 cuillerées à café de coriandre moulue / 1 cuillerée à café de cumin moulu / 1 cuillerée à soupe de persil haché / 1 cuillerée à soupe de ciboulette hachée / 3 œufs battus / Sel / 1 cuillerée à soupe de sauce de soja / 2 cuillerées à soupe de sésame / 6 cuillerées à soupe d'huile.

Faire cuire les pois chiches (voir recette précédente).

Réduire les pois chiches en purée. Ajouter les épices, les fines herbes, les œufs battus, la sauce de soja, l'ail pilé et les échalotes hachées finement.

Bien mélanger, de façon à obtenir une pâte homogène.

Façonner 12 petites galettes. Faire revenir dans l'huile chaude.

Avant de servir, saupoudrer avec des graines de sésame grillées.

Steacks végétariens ✗ ✗ ○

Prép. : 30 mn. Cuiss. : 15 mn.
4 pers. 275 Cal./pers.

150 g. de soja en croquettes / 1 œuf battu / 5 cuillerées à soupe de flocons d'avoine / 2 cuillerées à soupe de sauce soja / Sel, poivre / Ciboulette hachée / 1/5ᵉ lit. de bouillon / 3 cuillerées à soupe d'huile / Un peu de chapelure.

Faire cuire les croquettes de soja dans 1/5ᵉ lit. de bouillon pendant 20 minutes environ. Laisser refroidir. Réduire en purée avec le mixer.

Ajouter à la préparation tous les ingrédients. Former 8 petits steacks. Les passer rapidement dans la chapelure.

Faire revenir dans une poêle, 5 à 6 minutes de chaque côté.

Tofu au poisson ✗ ○

Prép. : 20 mn. Cuiss. : 10 mn.
4 pers. 235 Cal./pers.

250 g. de tofu / 4 cuillerées à soupe d'huile / 150 g. de filet de poisson / 3 échalotes / Sel, poivre / 2 cuillerées à soupe de chapelure / 1 œuf.

Mixer le tofu avec le filet de poisson cru. Ajouter à votre pâte les échalotes finement hachées et l'œuf battu. Assaisonner.

Former des petites croquettes ; les passer dans la chapelure.

Dans une poêle faire chauffer l'huile et faire dorer les croquettes 5 minutes de chaque côté.

Servir avec une salade verte ou une salade de tomates.

Tofu au fromage ✕✕ ∞

Prép. : 25 mn. Cuiss. : 10 mn.
4 pers. 290 Cal./pers.

250 g. de tofu / 80 g. de gruyère râpé / 3 cuillerées à soupe de flocons de millet / 2 cuillerées à soupe de sauce de soja / Muscade / Poivre / 4 cuillerées à soupe d'huile.

Mélanger tous les ingrédients de façon à former une pâte.
Façonner 8 croquettes. Faire dorer 5 minutes de chaque côté dans une poêle. Servir aussitôt.

Escalopes de blé aux légumes

✕✕ ◯

Prép. : 40 mn. Cuiss. : 15 mn.
4 pers. 300 Cal./pers.

150 g. de flocons de blé / 2 carottes / 1 oignon / 1 poireau / 4 cuillerées à soupe d'huile / Sel, poivre / 1 cuillerée à soupe de sauce de soja / 1 demi-verre d'eau / 1 yaourt nature / 2 cuillerées à soupe de graines de sésame.

Dans une jatte, verser les flocons de blé avec l'eau tiède. Laisser gonfler 30 minutes environ.

Pendant ce temps, hacher l'oignon, râper les carottes et couper le poireau. Ajouter les légumes aux flocons de blé, ainsi que le yaourt, les graines de sésame, la sauce de soja. Assaisonner et former des escalopes.

Dans une poêle, faire chauffer l'huile. Dorer les escalopes 5 à 6 minutes de chaque côté.

Servir bien chaud.

Couscous végétarien

✕✕ ⊂⊃

Prép. : 30 mn. Cuiss. : 1 h 40 mn.
6 pers. 435 Cal./pers.

400 g. de semoule de blé dur / 3 tomates / 1 courgette / 2 navets / 1 demi-céleri / Piment / 1 tranche de potiron / 100 g. de beurre / 200 g. de pois chiches cuits / 3 carottes / Sel, poivre / 1/2 lit. de bouillon de légumes.

Laver et peler les légumes. Les couper en gros morceaux et les faire cuire dans un couscoussier en mouillant avec du bouillon de légumes. Assaisonner.

Faire cuire la semoule à la vapeur pendant 20 minutes. Laisser tiédir. Travailler la semoule avec des morceaux de beurre. Les grains doivent se détacher.

Refaire cuire la semoule 15 à 20 minutes à la vapeur.

Ajouter un peu de piment au bouillon.

Servir sur un grand plat accompagné de lait caillé.

Boulghour aux carottes

🍴　　○

Prép. : 15 mn.　Cuiss. : 30 mn.
4 pers.　295 Cal./pers.

240 g. de boulghour / 4 carottes / Sel / 2 feuilles de céleri / 2 cuillerées à soupe d'huile / 1 cuillerée à café de thym.

Dans une poêle faire revenir les carottes coupées en fines lamelles. Saupoudrer de sel, de thym. Verser un peu d'eau. Couvrir et laisser cuire 5 minutes environ.

Ajouter le céleri coupé très finement, puis le boulghour. Verser de l'eau chaude de façon à couvrir les céréales. Laisser cuire 20 à 25 minutes.

Mélanger et servir aussitôt.

Maïs aux légumes ✕✕ ∞

Prép. : 25 mn. Cuiss. : 25 mn.
4 pers. 475 Cal./pers.

500 g. de maïs en grains / 1 poivron vert / 1 poivron rouge / 400 g. de bettes / 12 olives / Sel, poivre / 1/10ᵉ lit. de crème fraîche / 20 g. de chapelure / 3 cuillerées à soupe d'huile / 10 g. de margarine.

Chauffer le maïs à la vapeur.

Nettoyer et laver les bettes, les couper en petits morceaux.

Dans une casserole faire cuire les bettes avec du sel, du poivre et un peu d'eau.

Pendant ce temps nettoyer les poivrons et les couper en petits dés. Hacher les olives.

Dans un plat à soufflé beurré, disposer les ingrédients en couches successives.

Ajouter la crème fraîche assaisonnée. Saupoudrer de chapelure.

Faire cuire 25 minutes, th. 7.

Croquettes de pommes de terre au maïs ✕✕ ∞

Prép. : 25 mn. Cuiss. : 30 mn.
4 pers. 490 Cal./pers.

400 g. de pommes de terre / 120 g. de maïs en grains / 40 g. de beurre / 3 cuillerées à soupe d'huile / 2 œufs / 2 cuillerées à soupe de farine complète / 60 g. de fromage râpé / Sel, poivre / Noix de muscade / Persil haché.

Eplucher et laver les pommes de terre, les couper en quartiers et faire cuire à la vapeur 20 minutes environ. Les réduire en purée, assaisonner et ajouter une noix de beurre.

Dans la purée tiédie ajouter les œufs.

Dans une jatte mélanger les grains de maïs, le fromage râpé et un peu de beurre ramolli. Incorporer la préparation à la purée de pommes de terre. Rectifier l'assaisonnement si nécessaire. Ajouter le persil haché.

Former de petites croquettes et les passer rapidement dans la farine.

Dans une poêle faire chauffer l'huile. Faire dorer les croquettes 4 à 5 minutes de chaque côté. Servir aussitôt.

Gratin de millet au sésame

✗ ✗ ∞

Prép. : 20 mn. Cuiss. : 45 mn.
4 pers. 450 Cal./pers.

250 g. de millet / 2 yaourts / 200 g. de fromage blanc / 4 œufs / Sel / 1 pincée de noix de muscade / 15 g. de margarine / 3 cuillerées à soupe de sésame en grains / 60 g. de gruyère râpé.

Faire cuire le millet en ajoutant 2/3 lit. d'eau, pendant 20 à 25 minutes en couvrant.

Pendant ce temps préparer une sauce avec les yaourts, le fromage blanc, les œufs, les graines de sésame, le sel et la muscade.

Beurrer un plat à gratin. Mettre le millet et napper avec la sauce.

Saupoudrer de gruyère râpé. Faire cuire 15 à 20 minutes à four chaud 210° (th. 7).

Galettes de millet à l'échalote

✗ ✗ ○

Prép. : 25 mn. Cuiss. : 35 mn.
4 pers. 380 Cal./pers.

6 échalotes / 200 g. de millet / 20 g. de beurre / Sel / Sarriette / 1 cuillerée à soupe de flocons de millet / 1 œuf / 4 cuillerées à soupe d'huile.

Faire cuire le millet avec 1/2 lit. d'eau légèrement salée, en couvrant, pendant 25 minutes. Laisser tiédir.

Dans un saladier, mélanger les échalotes hachées finement, l'œuf, le beurre ramolli, la sarriette, les flocons de millet et le millet. Réduire en purée à l'aide d'une fourchette jusqu'à obtention d'une pâte. Si nécessaire, ajouter un peu d'eau.

Former 8 galettes et les faire dorer à la poêle.

Servir très chaud.

Gnocchis de millet aux orties

✕✕ ∞

Prép. : 20 mn. Cuiss. : 45 mn.
4 pers. 250 Cal./pers.

200 g. de millet / 100 g. d'orties / 4 échalotes / 2 œufs /
Sel / 2 cuillerées à soupe de flocons de millet / 1 cuillerée
à soupe de sauce de soja / Sauce tomate.

Cuire les orties à la vapeur, les égoutter, les hacher.

Faire cuire le millet dans 1/2 lit. d'eau légèrement salée, en couvrant, pendant 20 minutes.

Dans un saladier mélanger tous les ingrédients. Façonner des gnocchis entre les mains.

Faire cuire 15 à 20 minutes à la vapeur.

Cette préparation peut être servie sur un coulis de tomate.

Pilpil aux champignons

☓   ∞

Prép. : 20 mn. Cuiss. : 25 mn.
4 pers. 420 Cal./pers.

200 g. de pilpil / 250 g. de champignons de Paris / 100 g. d'oignons / 3 gousses d'ail / 80 g. de fromage râpé / 4 cuillerées à soupe d'huile / 1 cube de bouillon / 1 demi-citron / Sel, poivre.

Dans une poêle faire revenir l'oignon émincé. Quand il est doré, ajouter le pilpil, puis 1/2 lit. d'eau additionnée d'un bouillon cube. Assaisonner. Laisser cuire 25 minutes. 10 minutes avant la fin de cette cuisson ajouter les champignons émincés légèrement citronnés et l'ail pilé. Saler et poivrer.
Servir avec du fromage râpé.

Kasha aux champignons

☓   O

Prép. : 15 mn. Cuiss. : 20 mn.
4 pers. 370 Cal./pers.

250 g. de sarrasin / 250 g. de champignons de Paris / 4 échalotes / 2 cuillerées à soupe d'huile / 1/10ᵉ lit. de crème / Sel, poivre / Sauce de soja.

Dans une casserole faire revenir à l'huile les échalotes hachées et le sarrasin. Laisser griller quelques minutes sans cesser de remuer. Dès que le sarrasin est coloré, mouiller avec 2/5ᵉ lit. d'eau. Saler, poivrer. Laisser cuire à petit feu pendant 15 minutes.
Nettoyer et émincer les champignons. Les faire cuire dans une poêle. Juste avant de servir, ajouter la crème fraîche. Assaisonner.
Servir les 2 préparations séparément en ajoutant un peu de soja sur le sarrasin grillé.

Sarrasin aux herbes   ✗   ○

Prép. : 25 mn. Cuiss. : 30 mn.
4 pers. 300 Cal./pers.

250 g. de sarrasin / 1 oignon / 2 cuillerées à soupe d'huile / 600 g. de tomates / Sauge / Persil / Thym / Laurier / Ciboulette / Cerfeuil / Sel, poivre.

Faire dorer l'oignon émincé dans l'huile avec les herbes, le sel et le poivre. Ajouter le sarrasin et 3/5e lit. d'eau. Laisser cuire à feu doux pendant 30 minutes.

Retirer la sauge et le laurier.

Faire cuire au four les tomates pendant 10 à 15 minutes.

Servir le sarrasin dans un plat creux et garnir avec les tomates autour.

Riz à l'Espagnole   ✗   ○

Prép. : 20 mn. Cuiss. : 50 mn.
4 pers. 477 Cal./pers.

240 g. de riz brun / 2 oignons / 200 g. de courgettes / 1 poivron rouge / 2 g. de safran / Sel / 160 g. de fromage râpé / 1 pincée de poivre de Cayenne / 40 g. de margarine / 2/5ᵉ lit. de bouillon.

Mettre l'oignon émincé à dorer dans la margarine. Ajouter le poivron coupé en lanières, les courgettes en rondelles. Verser le riz en pluie. Laisser revenir quelques minutes en remuant constamment. Diluer le safran dans le bouillon.

Mouiller avec le bouillon. Laisser mijoter 45 à 50 minutes. Ajouter le poivre et le fromage râpé. Remuer jusqu'à ce que le fromage soit fondu. Servir aussitôt.

Riz cantonnais   ✗✗   ∞

Prép. : 35 mn. Cuiss. : 50 mn.
4 pers. 420 Cal./pers.

240 g. de riz complet / 30 g. de champignons noirs séchés / 2 oignons / 4 cuillerées à soupe d'huile / 100 g. de crevettes décortiquées / 2 œufs / 1 cuillerée à café de 5 épices / Sel, poivre / 4 cuillerées à soupe de sauce de soja / 2 cuillerées à soupe de nuoc-mam.

Faire tremper 30 minutes les champignons séchés dans de l'eau tiède.

Faire cuire le riz bien lavé dans une grande casserole d'eau salée.

Dans une poêle, faire rissoler les champignons coupés en fines lamelles et l'oignon émincé.

Dans une grande casserole mélanger les champignons et l'oignon, le riz cuit et égoutté, les crevettes décortiquées. Assaisonner avec le poivre, les 5 épices, la sauce de soja et le nuoc-mam.

Tenir au chaud.

Battre les œufs en omelette. Saler et poivrer. Faire cuire dans une poêle une omelette très fine, la couper en lanières pour répartir sur le riz.

Servir très chaud.

Rizotto aux légumes ✗✗ ✗ ∞

Prép. : 30 mn. Cuiss. : 55 mn.
4 pers. 365 Cal./pers.

200 g. de riz complet / 250 g. de champignons de Paris / 100 g. de haricots rouges cuits / 1 oignon / 8 tomates / 4 cuillerées à soupe d'huile / 4 gousses d'ail / 1 poivron vert / 1 cuillerée à soupe de sauce de soja / Persil haché / Sel, poivre / Thym / Laurier / 1 bouillon de légumes.

Faire revenir l'oignon émincé dans 2 cuillerées à soupe d'huile, puis ajouter le riz. Mouiller d'eau et de bouillon de légumes, assaisonner, puis ajouter le laurier. Couvrir et faire cuire 40 minutes environ.

Faire chauffer le reste d'huile, y faire revenir le poivron coupé en lanières, l'ail écrasé, les tomates pelées et coupées en quartiers, le sel, le poivre et le thym. Ajouter les champignons émincés et les haricots rouges. Laisser mijoter 10 à 15 minutes. Quand le riz est cuit, le dresser sur un plat, garnir avec les légumes et ajouter la sauce de soja.

Décorer avec du persil.

Curry végétarien ✗ ∞

Prép. : 25 mn. Cuiss. : 35 mn.
4 pers. 410 Cal./pers.

200 g. de riz complet / 400 g. de pommes de terre / 400 g. de tomates / 1 oignon / 2 carottes / 1 poivron vert / 1 courgette / 1 cuillerée à café de cumin moulu / 1 cuillerée à café de coriandre moulue / 1 cuillerée à café de gingembre râpé / 1 cuillerée à café de curcuma / 4 gousses d'ail / Sel, poivre / 3 cuillerées à soupe d'huile.

Faire revenir l'oignon émincé dans l'huile. Ajouter le gingembre, la coriandre, le sel, le poivre et le cumin, puis les tomates en quartiers. Verser un peu d'eau et laisser mijoter quelques minutes.

Ajouter les pommes de terre en lamelles, le poivron en lanières, les carottes en bâtonnets, les courgettes en rondelles et l'ail pilé. Couvrir et laisser mijoter 25 minutes.

Faire cuire le riz nature. Le verser dans un moule beurré en forme de couronne ; bien le tasser, puis le démouler sur un plat et verser le ragoût de légumes au centre.

Pâtes fraîches au basilic

✗✗ ○

Prép. : 40 mn. Cuiss. : 20 mn.
6 pers. 420 Cal./pers.

Pâtes : *300 g. de farine blanche / 200 g. de farine complète / 1 petit verre d'eau / 3 œufs / 1 pincée de sel.*
Sauce : *60 g. de beurre / 10 gousses d'ail / Persil haché / 5 cuillerées à soupe de basilic frais / 3 échalotes.*

Dans une jatte, mettre la farine et former une fontaine. Ajouter progressivement l'eau, le sel et les œufs. La mettre en boule et la laisser reposer 1 heure dans un endroit frais et humide.

Abaisser la pâte en bandes d'un mm d'épaisseur environ et laisser sécher.

Passer ensuite la pâte à la machine ou couper à la main avec un bon couteau (replier chaque bande de pâtes plusieurs fois).

Cuire les pâtes à l'eau bouillante salée.

Faire revenir dans une poêle les échalotes hachées avec le beurre. Ajouter l'ail pilé, le persil et le basilic. Laisser mijoter quelques minutes.

Napper les pâtes avec cette sauce.

On peut également servir, en accompagnement, un peu de gruyère râpé.

Pâtes à la purée d'amandes

✗✗ ∞

Prép. : 50 mn. Cuiss. : 20 mn.
6 pers. 510 Cal./pers.

600 g. de pâtes (voir recette pâtes fraîches) / 2 fenouils / 50 g. de champignons de Paris / 150 g. de purée d'amandes / 3 jaunes d'œufs / Sel, poivre / Noix de muscade / 50 g. de bleu d'Auvergne.

Préparer les pâtes.

Laver et couper les fenouils en petites lamelles. Nettoyer et émincer les champignons. Faire cuire à la vapeur 20 à 25 minutes.

Mixer les jaunes d'œufs, le sel, le poivre, la muscade et le fromage. Ajouter la purée d'amandes. Cette préparation, tiédie au bain-marie, doit donner une pâte bien onctueuse.

Dans un plat mélanger les pâtes, les légumes et la sauce.

Toasts chauds au chèvre et au camembert

Prép. : 10 mn. Cuiss. : 15 mn.
4 pers. 335 Cal./pers.

8 tranches de pain / 25 g. de margarine / 100 g. de chèvre / 100 g. de camembert au lait cru / Poivre / Paprika.

Beurrer les tranches de pain et étaler le fromage de chèvre sur quatre d'entre elles, le camembert sur les autres.

Mettre à griller pendant 10 à 15 minutes. Servir aussitôt, saupoudré de poivre et de paprika.

Les toasts seront encore meilleurs si les fromages sont bien faits (coulants).

Pizzarella

Prép. : 40 mn. Cuiss. : 30 mn.
4 pers. 475 Cal./pers.

Pâte à pain : *230 g. de farine complète / 15 g. de levure de boulanger / 1 demi-cuillerée à café de sel / 2 cuillerées à soupe d'huile / 4 cuillerées à soupe d'eau.*
Garniture : *1 cuillerée à café d'origan / 12 olives / 1 oignon / 6 tomates / 150 g. de mozarella / 50 g. de parmesan râpé / 2 cuillerées à café de câpres / 100 g. de champignons.*

Délayer la levure dans de l'eau tiède salée, y ajouter un peu de farine et laisser lever. Mélanger ensuite l'huile.

Dans une jatte, verser la farine tamisée, faire une fontaine et ajouter la préparation. Pétrir la pâte. Couvrir avec un linge et laisser lever jusqu'à ce que la pâte ait doublé de volume.

Abaisser la pâte en un cercle de 30 cm. Mettre sur une plaque huilée.

Etaler les oignons et les tomates préalablement cuits, puis la mozarella en tranches. Assaisonner.

Ajouter les champignons émincés, les câpres et les olives. Saupoudrer avec l'origan et le parmesan.

Placer au four th. 7 et faire cuire 25 à 30 minutes.

Croquettes au gouda ✗✗ ○

Prép. : 30 mn. Cuiss. : 20 mn.
4 pers. 270 Cal./pers.

Pâte à choux : *50 g. de margarine / 15 cl. d'eau / Sel / 60 g. de farine complète / 2 œufs.*
Garniture : *100 g. de gouda.*

Faire fondre la margarine dans une casserole, puis ajouter l'eau et le sel. Porter à ébullition.

Verser la farine en remuant et laisser sécher la pâte jusqu'à ce qu'elle se détache des bords. Laisser refroidir légèrement et incorporer les œufs un à un. Battre vigoureusement, afin d'obtenir un mélange homogène.

Juste avant de retirer du feu, ajouter les petits cubes de gouda.

Faire chauffer l'huile à 180°C et plonger la pâte par petites cuillères à café. Retirer dès que les beignets sont dorés. Egoutter sur du papier absorbant.

Pommes au fromage frais et aux fines herbes ✗ ○

Prép. : 25 mn. Cuiss. : 50 mn.
4 pers. 215 Cal./pers.

8 petites pommes de terre / 200 g. de fromage frais / 4 cuillerées à soupe de crème / Sel, poivre / Persil / Ciboulette / Cerfeuil.

Cuire les pommes de terre lavées et épluchées, emballées dans du papier aluminium, au four, pendant 40 à 50 minutes.

Dans une jatte, battre vigoureusement le fromage blanc pour qu'il devienne bien onctueux. Ajouter la crème, le sel et le poivre.

Faire tiédir cette sauce au bain-marie.

Quand les pommes de terre sont cuites, incorporer les fines herbes à la sauce.

Ouvrir les papillotes et napper avec la sauce.

Pommes au fromage de brebis

✕   ∞

Prép. : 25 mn. Cuiss. : 35 mn.
4 pers. 395 Cal./pers.

1 kg. de pommes de terre / 2 oignons doux / 2 gousses d'ail écrasées / Sel, poivre / Ciboulette / 100 g. de tomme de brebis / 2 cuillerées à soupe d'huile.

Faire chauffer l'huile dans une cocotte et dorer les oignons émincés et l'ail. Ajouter les pommes de terre pelées et coupées en rondelles. Laisser dorer des deux côtés et couvrir. Laisser mijoter 10 à 15 minutes. Saler et poivrer.

Juste avant de servir, ajouter le fromage râpé et la ciboulette. Laisser fondre et servir immédiatement.

Fromage blanc aux amandes

␾ ○

Prép. : 15 mn.
4 pers. 345 Cal./pers.

400 g. de fromage blanc / 50 g. de sucre roux / 4 cuillerées à soupe de crème fraîche / 100 g. d'amandes / 100 g. de raisins secs.

Fouetter le fromage blanc avec la crème fraîche jusqu'à ce qu'il soit bien crémeux. Ajouter le sucre, les raisins secs et les 2/3 des amandes réduites en purée.

Verser ce mélange dans des ramequins et décorer avec le reste des amandes hachées grossièrement. Servir frais.

Flocons d'avoine aux fruits rouges

␾ ∞

Prép. : 25 mn. Cuiss. : 10 mn.
6 pers. 275 Cal./pers.

1/2 lit. de lait / 150 g. de flocons d'avoine / 1/5e lit. de jus de fruits / 150 g. de purée de groseilles, framboises, etc., au choix / 1/10e lit. de crème / 60 g. de sucre roux.

Faire bouillir le lait et incorporer les flocons d'avoine. Cuire à petit feu quelques minutes sans cesser de remuer. Ajouter à la préparation tiédie le jus de fruits, la purée de groseilles et le sucre.

Verser dans des coupes et garnir de crème chantilly.

Müesli aux fruits

␾ ○

Prép. : 15 mn. Cuiss. : 3 mn.
1 pers. 270 Cal.

20 g. de flocons d'avoine / 1 demi-pomme râpée / 1 cuillerée à café de noisettes hachées / 1 cuillerée à soupe de raisins secs / 1 cuillerée à soupe d'amandes hachées / 1 cuillerée à soupe de sucre roux / 1/10e lit. de lait.

Dans un bol, mélanger tous les ingrédients. Verser le lait chaud dessus. Remuer. Le müesli est prêt.

Ce dessert est particulièrement apprécié après un repas léger, mais c'est également un petit déjeuner complet.

Mousse tapioca - chocolat

✗ ○

Prép. : 25 mn. Cuiss. : 15 mn.
6 pers. 220 Cal./pers.

1/2 lit. de lait / 80 g. de crème de tapioca / 4 œufs / 30 g. de cacao sans sucre / 80 g. de sucre roux / Sel.

Délayer la crème de tapioca dans un peu de lait froid.

Battre dans une terrine les jaunes d'œufs et le sucre. Faire bouillir le lait.

Verser la crème de tapioca et le cacao sur le mélange œufs - sucre et peu à peu le lait chaud, sans cesser de remuer.

Remettre sur le feu et laisser cuire 5 minutes environ, à feu doux. Laisser tiédir.

Battre les blancs d'œufs en neige ferme et les incorporer délicatement à la préparation.

Mettre au réfrigérateur 1 à 2 heures avant de servir.

Crème à la vanille

✗✗ ○

Prép. : 20 mn. Cuiss. : 15 mn.
8 pers. 195 Cal./pers.

1 lit. de lait / 4 œufs / 2 cuillerées à soupe de farine de maïs / 1 bâton de vanille / 80 g. de sucre roux.

Dans un saladier mélanger les œufs et le sucre. Ajouter la farine de maïs.

Faire chauffer le lait avec le bâton de vanille. Verser sur la préparation en remuant constamment.

Remettre sur le feu. Dès les premiers bouillons retirer la casserole. Retirer le bâton de vanille.

Ce dessert se mange tiède ou froid. Il peut accompagner certains gâteaux, tourtes ou cakes qui se dégustent tièdes.

Mousse aux fraises   ✕✕   ∞

Prép. : 20 mn.
4 pers.   195 Cal./pers.

*400 g. de fraises fraîches / 60 g. de sucre roux / 1/10ᵉ lit.
de crème fraîche / 3 blancs d'œufs / Le jus d'un citron.*

Laver, sécher et équeuter les fraises. Les mixer avec le jus
de citron. Sucrer.

Battre les blancs d'œufs en neige ferme et la crème fraîche
en chantilly.

Incorporer délicatement la moitié des blancs d'œufs, la
chantilly, puis le reste des blancs d'œufs.

Mettre au réfrigérateur 2 à 3 heures et servir.

Pudding au blé et à la compote d'abricots

XX CO

Prép. : 25 mn. Cuiss. : 20 mn.
4 pers. 330 Cal./pers.

2 œufs / 2 cuillerées à soupe de miel / 1/2 lit. de lait / 40 g. de farine complète / 2 cuillerées à soupe de graines de sésame / 40 g. de sucre roux / 400 g. d'abricots / 1 banane / 50 g. de raisins secs / 1 cuillerée de jus de citron.

Mélanger à froid la farine avec un peu de lait. Ajouter peu à peu le lait chaud. Faire cuire dans une casserole de grandeur moyenne jusqu'à épaississement.

Retirer du feu, incorporer le miel, les raisins secs.

Battre les œufs et le sucre. Ajouter délicatement à la préparation tiédie.

Faire cuire 15 minutes les abricots dénoyautés et coupés avec la banane coupée en rondelles et un peu de citron. Réduire en purée.

Dans une jatte mettre la compote, puis le pudding. Saupoudrer de graines de sésame.

Pudding au riz et aux pruneaux d'Agen

XX O

Prép. : 20 mn. Cuiss. : 55 mn.
4 pers. 350 Cal./pers.

120 g. de riz demi-complet / 1/2 lit. de lait / 60 g. de sucre roux / 1 bâton de vanille / 12 pruneaux / 3 œufs / Quelques cuillerées de rhum.

Laver le riz, l'égoutter et le verser dans le lait bouillant avec le bâton de vanille. Quand le riz est cuit, sucrer.

Pendant ce temps faire tremper les pruneaux dans le rhum.

Dans le riz tiédi ajouter les jaunes d'œufs, les pruneaux bien égouttés et coupés en morceaux et les blancs d'œufs battus en neige ferme.

Verser la préparation dans un moule beurré et cuire à four chaud pendant 30 minutes environ.

Flan aux fruits ✖ ∞

Prép. : 20 mn. Cuiss. : 30 mn.
4 pers. 225 Cal./pers.

1/2 lit. de lait / 3 œufs / 50 g. de sucre roux / 6 pruneaux / 4 figues / 6 dattes.

Dans une jatte battre les œufs avec le sucre.

Ajouter le lait chaud et les fruits hachés finement.

Faire cuire au bain-marie au four th. 8 pendant 30 minutes environ.

Ce dessert se déguste aussi bien tiède que froid.

Soufflé chaud à la vanille et aux amandes

✗✗✗ ∞

Prép. : 30 mn. Cuiss. : 40 mn.
8 pers. 300 Cal./pers.

6 œufs / 250 g. d'amandes décortiquées et hachées / 60 g. de sucre roux / 1/3 lit. de lait / 40 g. de farine complète.

Délayer le lait et la farine à froid. Cuire pendant quelques minutes jusqu'à ce que le mélange épaississe. Laisser tiédir.

Dans une terrine battre les jaunes d'œufs et le sucre roux. Verser sur la préparation le lait tiédi et incorporer les amandes grossièrement hachées.

Battre les blancs d'œufs en neige ferme, mélanger délicatement à la préparation.

Verser dans un moule beurré et cuire au four th. 6, pendant 35 minutes.

Servir aussitôt.

Gâteau aux figues et aux noisettes ✕✕ ⚭

Prép. : 20 mn. Cuiss. : 30 mn.
8 pers. 365 Cal./pers.

250 g. de figues sèches / 200 g. de noisettes / 60 g. de pétales de maïs / 100 g. de sucre roux / 1 jaune d'œuf / 7 blancs d'œufs / Extrait de vanille / 15 g. de margarine.

Hacher grossièrement les figues et les noisettes.

Mélanger le jaune d'œuf avec le sucre et les pétales de maïs écrasés.

Battre les blancs d'œufs en neige ferme.

Mélanger tous les ingrédients, en incorporant délicatement les blancs d'œufs vanillés.

Verser la préparation dans un moule à manqué ou un moule à charlotte beurré.

Faire cuire à four moyen, th. 6, pendant 30 minutes.

Riz au lait à l'orange ✗ ○

Prép. : 15 mn. Cuiss. : 25 mn.
5 pers. 215 Cal./pers.

120 g. de riz 1/2 complet / 1/2 lit. de lait / 50 g. de sucre roux / Le jus de 2 oranges / 1 pincée de gingembre / 1 cuillerée à café d'essence de vanille / 2 œufs.

Dans une casserole faire cuire le riz avec le lait pendant 25 minutes. Sucrer en fin de cuisson.

Laisser tiédir. Ajouter le jus des oranges, les œufs battus, le gingembre et la vanille. Remuer.

Se déguste tiède ou froid.

Clafoutis aux poires ✗ ∞

Prép. : 20 mn. Cuiss. : 35 mn.
6-8 pers. 180 Cal./pers.

600 g. de poires / 2 œufs / 1/4 lit. de lait / Cannelle en poudre / 15 g. de margarine / 60 g. de sucre roux / 40 g. de farine complète / 1 pincée de sel.

Peler et épépiner les poires ; les couper en fines lamelles.

Déposer les poires dans un plat à gratin légèrement beurré.

Dans une terrine, mélanger les œufs, le sucre, le sel, la cannelle, le lait et la farine. Battre vigoureusement afin d'obtenir un mélange homogène. Verser la préparation sur les poires. Cuire au four th. 7, 35 minutes environ.

Se mange aussi bien tiède que froid.

Pommes aux raisins secs ✗ ∞

Prép. : 30 mn. Cuiss. : 35 mn.
4 pers. 320 Cal./pers.

4 pommes acides / 4 tranches de pain / 40 g. de beurre / 40 g. de raisins secs / 40 g. de cerneaux de noix / 1 poignée d'amandes effilées.

Bien laver les pommes. Enlever le cœur à l'aide d'un vide-pomme. Remplir avec des raisins secs et des cerneaux de noix hachés.

Beurrer très légèrement un plat allant au four. Etaler le reste du beurre sur les tranches de pain, les saupoudrer également d'amandes effilées. Poser les pommes sur les tranches de pain.

Mettre à cuire au four th. 6 pendant 30 à 40 minutes.

Crêpes aux marrons ✕✕ ∞

Prép. : 20 mn. Cuiss. : 25 mn.
4 pers. 330 Cal./pers.

Pâte à crêpes : *60 g. de farine complète / 1 œuf / 1 cuillerée à soupe d'huile / 1/5ᵉ lit. de lait / 1 pincée de sel / 40 g. de sucre roux.*
Garniture : *200 g. de purée de marrons / 1/5ᵉ lit. de crème fraîche / 2 cuillerées à soupe de kirsch / 40 g. de sucre.*

Préparer la pâte à crêpes et laisser reposer 1 heure dans un endroit frais.

Faire les crêpes, les fourrer avec la purée de marrons délayée avec la crème fraîche et l'alcool.

Rouler les crêpes et les disposer dans un plat allant au four. Saupoudrer de sucre et laisser caraméliser.

Crêpes au fromage blanc et à la compote ✕✕ ∞

Prép. : 15 mn. Cuiss. : 15 mn.
6 pers. 280 Cal./pers.

Pâte : *5 œufs / Sel / 250 g. de fromage blanc / 60 g. de farine complète / 3 cuillerées à soupe d'huile / Compote de pommes citronnée.*

Dans une jatte, battre les œufs. Incorporer le fromage blanc, le sel et la farine.

Bien malaxer pour obtenir une pâte lisse.

Graisser une poêle et y verser une louche de pâte. Laisser dorer de chaque côté. On peut faire 8 à 10 crêpes.

Garnir les crêpes avec la compote de pomme.

Compote de fruits en omelette

Prép. : 15 mn. Cuiss. : 25 mn.
6 pers. 205 Cal./pers.

6 œufs / 50 g. de sucre roux / 50 g. de noisettes et amandes grillées / 2 cuillerées à soupe de kirsch.
Compote : *1 pomme / 1 banane / 2 figues / 6 dattes.*

Faire cuire les fruits et les réduire en compote.

Battre les œufs et le sucre. Faire cuire, dans une poêle, en 2 omelettes.

Poser sur un plat chaud une omelette et y étaler la compote de fruits. Couvrir avec la deuxième omelette. Saupoudrer de noisettes et amandes grillées.

Flamber avec le kirsch et servir chaud.

Tarte au citron   ✕✕   ∞

Prép. : 40 mn. Cuiss. : 20 mn.
8 pers. 290 Cal./pers.

250 g. de pâte sablée / 50 g. de farine bise / 60 g. de sucre / 3 œufs + 2 blancs / 2/5ᵉ lit. de lait / Le jus de 3 citrons / 20 g. de beurre.

Foncer un moule à tarte avec la pâte sablée, la piquer avec une fourchette et faire cuire à blanc pendant 20 minutes, à four chaud.

Dans une jatte travailler les jaunes d'œufs et le sucre jusqu'à obtention d'une pâte homogène. Ajouter la farine. Verser peu à peu le lait bouillant sans cesser de remuer. Mettre sur le feu. Dès que le mélange épaissit retirer du feu. Ajouter le beurre et laisser tiédir cette crème.

Presser les citrons et verser le jus dans la crème.

Battre les blancs en neige ferme. Incorporer délicatement. Garnir le fond de tarte. Laisser refroidir.

Tourte aux pignons   ✕✕   ∞

Prép. : 40 mn. Cuiss. : 45 mn.
8 pers. 335 Cal./pers.

Pâte : *175 g. de farine complète / 125 g. de farine bise / 150 g. de margarine / 1 pincée de sel.*
Garniture : *100 g. de pignons / 6 pommes acides / 3 cuillerées à soupe de sucre / Le jus d'un demi-citron / 1 pincée de cannelle.*

Dans un récipient mélanger les farines et la margarine coupée en petits morceaux. Ajouter le sel et de l'eau froide. Pétrir jusqu'à obtention d'une pâte homogène.

Laisser reposer 30 minutes dans un endroit frais.

Abaisser la moitié de la pâte et garnir un moule de 24 cm de diamètre.

Répartir les pommes pelées et coupées en très fines lamelles et citronnées. Saupoudrer de sucre et de cannelle.

Etaler un deuxième disque de pâte, découper un rond au centre et couvrir la tourte. Mettre les pignons au centre. Bien faire adhérer les bords en humectant avec un peu de lait tiède.

Faire cuire à four chaud 35 à 45 minutes.

Tarte aux cerises aigres

✕✕   ∞

Prép. : 25 mn. Cuiss. : 35 mn.
8 pers. 275 Cal./pers.

Pâte : *100 g. de margarine / 200 g. de farine complète / 1 pincée de sel / Eau tiède.*
Garniture : *250 g. de fromage blanc / 60 g. de sucre roux / 400 g. de cerises aigres.*

Mélanger la farine avec des petits morceaux de margarine. Faire une fontaine et ajouter l'eau tiède et le sel. Travailler la pâte jusqu'à ce qu'elle forme une boule. Laisser reposer dans un endroit frais.

Abaisser la pâte et en garnir un moule. Piquer le fond avec une fourchette. Etaler le fromage blanc sucré et poser les cerises dénoyautées. Sucrer légèrement.

Faire cuire au four chaud, th. 8, pendant 30 minutes.

Cette tarte se déguste de préférence tiède.

Tarte façon Tatin

Prép. : 25 mn. Cuiss. : 35 mn.
6 pers. 240 Cal./pers.

Pâte : *230 g. de farine complète / 3 cuillerées à soupe d'huile / 1 pincée de sel.*
Garniture : *4 pommes acides / 80 g. de sucre / 1 poignée de raisins secs.*

Faire la pâte à tarte en ajoutant un peu d'eau si nécessaire.
Abaisser la pâte (environ 1/2 cm d'épaisseur).
Laver et peler les pommes. Les couper en 8.
Dans un moule, verser le sucre et un peu d'eau. Mettre sur le feu pour former un caramel. Y placer les quartiers de pommes. Répartir les raisins secs et couvrir avec le disque de pâte. Faire cuire au four th. 8, 30 à 35 minutes.

Tourte aux pommes ✕✕ ∞

Prép. : 25 mn. Cuiss. : 40 mn.
10 pers. 411 Cal./pers.

Pâte : *250 g. de farine complète / 2 dl. d'huile / 1 demi-cuillerée à café de sel / Eau tiède.*
Garniture : *8 pommes acides / 80 g. de sucre roux / 10 cl. de crème / 1 cuillerée à café de cannelle / 2 œufs.*

Dans une jatte, mélanger la farine complète avec le sel et l'huile. Faire une fontaine et ajouter 1 petit verre d'eau tiède. Ne pas trop pétrir sinon la pâte va sabler.

Laisser reposer 1 heure environ dans un endroit frais.

Peler et couper les pommes en lamelles.

Etaler la pâte et en garnir un moule à tourte. Remplir avec les pommes. Saupoudrer de sucre.

Battre les œufs et la crème fraîche, verser sur les pommes.

Mettre les chutes de pâte en boule et les étaler pour couvrir la tourte. Pincer les bords afin de souder le couvercle et badigeonner au lait tiède.

Mettre dans un four chaud, th. 8-9, 35 à 40 minutes.

Ce dessert servi tiède est encore meilleur.

Cake marbré

✗　○

Prép. : 25 mn. Cuiss. : 50 mn.
10-12 pers. 295 Cal./pers.

500 g. de farine complète / 250 g. de sucre roux / 4 œufs / 2 verres d'huile / 2 verres de lait / 1 sachet de levure / Sel / Extrait de vanille / 2 cuillerées à soupe de cacao sans sucre.

Dans une terrine travailler les œufs avec le sucre roux jusqu'à obtention d'une pâte onctueuse. Ajouter peu à peu l'huile et le lait, puis le sel, la vanille et la levure. Incorporer la farine.

Verser, dans un grand moule à cake beurré, la moitié de la pâte. Ajouter le cacao à l'autre moitié et la verser dans le moule.

Enfourner dans un four préchauffé th. 8 ou 9. Laisser cuire environ 40 à 50 minutes.

Pour vérifier la cuisson, enfiler la lame d'un couteau. Le cake est cuit quand la lame du couteau est sèche.

Cake au potiron doux　✗✗　○

Prép. : 25 mn. Cuiss. : 1 h.
10 pers. 415 Cal./pers.

1 kg. de potiron doux / 300 g. de farine / 150 g. de noix / 250 g. de sucre roux / 2 dl. d'huile / 3 œufs / Le zeste de 2 citrons / 1 pincée de sel / 1 demi-sachet de levure.

Dans une jatte battre les œufs et le sucre. Ajouter l'huile, le sel, la levure, le potiron cuit et réduit en purée, le zeste de citron, puis la farine et les noix hachées. Bien malaxer afin d'obtenir une pâte homogène.

Beurrer un moule à cake et y verser la pâte.

Faire cuire à four moyen, th. 6 ou 180°, pendant 1 heure environ.

Cake de Noël

✕✕   ∞

Prép. : 35 mn. Cuiss. : 55 mn.
12 pers. 420 Cal./pers.

400 g. de farine complète / 200 g. de sucre / 4 œufs / 2 verres de lait / 2 verres d'huile / 1 sachet de levure / Extrait de vanille / 200 g. de dattes / 50 g. de noisettes / 50 g. de noix.

Travailler les œufs avec le sucre pour obtenir une pâte mousseuse, ajouter peu à peu l'huile, le lait, le sel, la vanille, la levure, puis la farine.

Incorporer ensuite les dattes hachées, ainsi que noisettes et noix broyées. Verser dans un moule à cake beurré. Faire cuire au four th. 5, 50 à 60 minutes.

Coulis de tomates   ✕   ○

Prép. : 15 mn. Cuiss. : 25 mn.
4 pers. 40 Cal./pers.

*12 tomates fraîches / 1 oignon / 4 gousses d'ail / Sel,
poivre / Origan, thym, laurier / 1 cuillerée à soupe
d'huile.*

Dans une cocotte faire dorer l'oignon pelé et émincé.

Ajouter les tomates lavées et coupées en quartiers, l'ail
pelé et écrasé, le sel, le poivre et les épices. Laisser mijoter 20
minutes.

Avant de servir retirer les feuilles de laurier.

*Cette sauce accompagne agréablement galettes, croquettes
et pains de légumes.*

Sauce aux champignons   ✕   ○

Prép. : 15 mn. Cuiss. : 10 mn.
4 pers. 50 Cal./pers.

*1/4 lit. de lait / 15 g. de farine complète / 100 g. de
champignons de Paris / Sel, poivre.*

Délayer la farine dans le lait froid. Cuire quelques minutes
pour que la préparation épaississe. Saler et poivrer.

Nettoyer et couper les champignons en lamelles. Les faire
cuire dans une poêle puis les ajouter à la sauce.

Cette sauce s'utilise surtout avec les céréales et les légumes.

Variantes :
Sauce aux champignons + safran.
Sauce aux champignons + paprika.
Sauce aux champignons + curry.
Sauce aux champignons + gruyère.
Sauce aux champignons + olives.

Sauce aux épices   ✂ ○

Prép. : 15 mn.
4 pers.   115 Cal./pers.

1 yaourt nature / 8 olives / 1 tomate / 3 cuillerées à soupe d'huile / 3 cuillerées à soupe d'eau / 1 pincée de cumin / 1 pincée de coriandre / 1 pincée de basilic / Sel.

Dans une jatte, battre le yaourt avec l'eau. Ajouter peu à peu l'huile.

Peler et couper la tomate en petits cubes. Ajouter à la préparation les épices, le sel, la tomate et les olives dénoyautées et hachées.

Cette sauce se sert avec les céréales et les légumes cuits nature.

Sauce au fromage blanc   ✂ ○

Prép. : 15 mn. Cuiss. : 5 mn.
4 pers.   90 Cal./pers.

2 jaunes d'œufs / 150 g. de fromage blanc / 2 cuillerées à soupe de crème / 1 cuillerée à soupe de levure en paillettes / Sel, poivre / Persil et ciboulette hachés.

Battre les jaunes d'œufs avec le sel. Placer le récipient au bain-marie. En remuant, faire prendre les jaunes d'œufs.

Retirer du feu et incorporer cuillerée par cuillerée la levure, le fromage blanc et la crème fraîche. Ajouter les fines herbes et servir aussitôt.

Cette sauce accompagne les légumes, les pains de céréales ou de légumes ainsi que les galettes.

Sauce salade au yaourt ✗ O

Prép. : 10 mn.
4 pers.   80 Cal./pers.

1 yaourt nature / 2 cuillerées à soupe d'huile / 1 cuillerée à soupe de jus de citron / Sel, poivre / 2 échalotes / Persil haché.

Peler et hacher finement les échalotes. Mixer tous les ingrédients.

Accompagne toutes les salades.

Vinaigrette ✗ O

Prép. : 5 mn.
4 pers.   75 Cal./pers.

1 cuillerée à soupe de sauce soja / 1 cuillerée à soupe de vinaigre / 2 cuillerées à soupe d'huile / 1 cuillerée à café de levure en paillettes / 1 cuillerée à café de sésame grillé.

Mélanger tous les ingrédients.

Accompagne agréablement les salades vertes.

Variantes :
Vinaigrette + œufs durs émiettés = sauce mimosa.
Vinaigrette + ail = sauce à l'ail.
Vinaigrette + échalotes.
Vinaigrette + fines herbes...
Les possibilités de varier sont très nombreuses.